UMSEGREDO EMFAMÍLIA

PHILIPPE GRIMBERT

U<small>M</small> SEGREDO EM FAMÍLIA

Tradução de
TATIANA SALEM LEVY

EDITORA RECORD
RIO DE JANEIRO • SÃO PAULO
2009

CIP-BRASIL. CATALOGAÇÃO-NA-FONTE
SINDICATO NACIONAL DOS EDITORES DE LIVROS, RJ

G873s
Grimbert, Philippe
    Um segredo em família / Philippe Grimbert; tradução de Tatiana Salem Levy. – Rio de Janeiro: Record, 2009.

    Tradução de: Un secret
    ISBN 978-85-01-08292-3

    1. Romance francês. I. Levy, Tatiana Salem, 1979-. II. Título.

09-5567
                    CDD: 843
                    CDU: 821.133.1-3

Título original francês:
UN SECRET

Copyright © Editions Grasset et Frasquelle, 2004

Texto revisado segundo o novo Acordo Ortográfico da Língua Portuguesa

Todos os direitos reservados. Proibida a reprodução, no todo ou em parte, através de quaisquer meios.

Direitos exclusivos de publicação em língua portuguesa somente para o Brasil
adquiridos pela
EDITORA RECORD LTDA.
Rua Argentina, 171 – Rio de Janeiro, RJ – 20921-380 – Tel.: 2585-2000
que se reserva a propriedade literária desta tradução

Impresso no Brasil

ISBN 978-85-01-08292-3

PEDIDOS PELO REEMBOLSO POSTAL
Caixa Postal 23.052 – Rio de Janeiro, RJ – 20922-970

EDITORA AFILIADA

A Tania e Maxime,
A Simon.

I

Filho único, tive um irmão durante muito tempo. Era preciso acreditar cegamente em mim quando eu contava essa fábula aos meus colegas de férias, aos meus amigos de passagem. Eu tinha um irmão. Mais bonito, mais forte. Um irmão mais velho, glorioso, invisível.

Ao visitar um amigo, eu sempre sentia inveja quando alguém parecido com ele abria a porta. Os cabelos revoltos, um sorriso maroto, que me eram apresentados com duas palavras: "Meu irmão." Um enigma, esse intruso com quem se dividia tudo, inclusive o amor. Um verdadeiro irmão. Um semelhante cujo rosto apresentava traços comuns, como uma mecha rebelde ou um dente de lobo, um companheiro de quarto de quem se conheciam a intimidade, os humores, os gostos, as fraquezas, os cheiros. Uma estranheza para mim, que reinava sozinho no império dos quatro cômodos do apartamento familiar.

Eu era o único objeto de amor, a terna preocupação dos meus pais, porém dormia mal, agitado por sonhos ruins.

Chorava assim que meu abajur era desligado, ignorava a quem se dirigiam essas lágrimas que penetravam meu travesseiro e se perdiam na noite. Envergonhado sem saber por que, frequentemente culpado sem motivo, adiava o momento de mergulhar no sono. Minha vida de criança me fornecia, a cada dia, tristezas e medos que eu conservava na minha solidão. Precisava dividir essas lágrimas com alguém.

Um dia deixei, enfim, de estar sozinho. Insistira em acompanhar minha mãe ao quarto de despejo, que ela queria arrumar. Descobria sob o teto esse cômodo desconhecido, seu cheiro de lugar fechado, os móveis bambos, as pilhas de malas com a fechadura enferrujada. Ela havia aberto a tampa de um baú onde imaginava encontrar as revistas de moda que publicavam seus desenhos outrora. Teve um sobressalto ao se deparar com o cãozinho de olhos de resina que dormia lá, deitado sobre uma pilha de cobertores. A pelúcia rala, o focinho empoeirado, ele estava vestido com um casaco de tricô. Apoderei-me dele imediatamente e apertei-o contra o peito, mas tive de renunciar a levá-lo para o quarto, sensibilizado pelo mal-estar de minha mãe, que me incitava a colocá-lo de volta no lugar.

Na noite que se seguiu, espremi pela primeira vez a bochecha molhada no peito de um irmão. Ele acabava de entrar na minha vida, e eu não iria mais deixá-lo.

*

A partir desse dia, caminhei na sua sombra, flutuei no seu rastro como em uma roupa muito larga. Ele me acompanhava ao jardim, à escola, eu falava dele para todos com quem encontrava. Em casa até inventei um jogo que me permitia fazê-lo dividir a nossa existência: pedia que o esperassem antes de passar à mesa, que o servissem antes de mim, que arrumassem as suas coisas antes das minhas quando partíamos em férias. Criara-me um irmão atrás do qual iria me apagar, um irmão que iria pesar sobre mim, com toda a sua força.

Apesar de sofrer com a minha magreza, com a minha palidez doentia, queria acreditar ser o orgulho de meu pai. Adorado por minha mãe, eu era o único a ter habitado esse ventre delineado pelo exercício, a ter surgido dentre essas coxas de esportista. Era o primeiro, o único. Antes de mim, ninguém. Apenas uma noite, um banho de sombra, algumas fotografias em preto e branco celebrando o encontro de dois corpos gloriosos, habituados às disciplinas do atletismo, que iriam unir seus destinos para me dar à vida, para me amar e me mentir.

Conforme o que diziam, eu carregava desde sempre esse sobrenome tipicamente francês. Minhas origens não me condenavam mais a uma morte certa, eu não era mais esse galho franzino no cume de uma árvore genealógica que precisava ser podada.

Meu batismo fora realizado tão tarde que guardei intacta a sua lembrança: o gesto do oficiante, a cruz úmida gravada na minha testa, minha saída da igreja nos braços do padre, sob a asa bordada da sua estola. Uma proteção entre mim e a cólera do céu. Se por uma infelicidade a ira fosse novamente desencadeada, minha inscrição nos registros da sacristia me protegeria. Eu não tinha consciência disso, e me entregava ao jogo, obediente, silencioso, tentando acreditar, com todos aqueles que me festejavam, que se reparava uma simples negligência.

A marca indelével impressa no meu sexo se reduzia à lembrança de uma intervenção cirúrgica necessária. Nada de ritual, uma simples decisão médica, uma entre tantas outras. Nosso sobrenome também carregava a sua cicatriz: duas letras trocadas oficialmente a pedido do meu pai, uma ortografia diferente que lhe permitia plantar raízes profundas no solo da França.

A obra de destruição empreendida pelos carrascos alguns anos antes do meu nascimento prosseguia assim, subterrânea, vertendo suas carroças de segredos, de silêncios, cultivando a vergonha, mutilando os patronímicos, gerando a mentira. Vencido, o perseguidor ainda triunfava.

Apesar dessas precauções, a verdade aflorava, presa aos detalhes: algumas folhas de pão ázimo embebidas em ovo batido e douradas na panela, um samovar de estilo moderno sobre a chaminé da sala, um candelabro escondido no bufê, embaixo do guarda-louça. E sempre as mesmas perguntas. Interrogavam-me regularmente sobre as origens do nome Grimbert, inquietavam-se com a sua ortografia exata, exumando o "n" que um "m" viera substituir, desentocando o "g" que um "t" deveria colocar no esquecimento, proposições que eu relatava em casa, e que meu pai afastava com um gesto. Sempre nos chamamos assim, martelava ele, essa evidência não sofria nenhuma contradição: havia vestígio de nosso patronímico desde a Idade Média; Grimbert não era um herói do *Romance de Renart*?

Um "m" por um "n", um "t" por um "g", duas ínfimas modificações. Mas o "amor" tendo recoberto o "ódio", despossuído do "tenho" eu obedecia desde então ao imperativo do "cale-se".* Chocando-me sem cessar contra a parede dolorosa com a qual tinham se cercado meus pais, eu os amava demais para tentar ultrapassar seus limites, para reabrir os lábios dessa ferida. Estava decidido a não saber de nada.

---
*O autor faz um jogo, trocando letras de cada palavra: *aime* e *haine*; *j'ai* e *tais*. (N. da T.)

Meu irmão me ajudou durante muito tempo a superar meus medos. Uma pressão da sua mão sobre meu braço, seus dedos que despenteavam meus cabelos, e eu encontrava a força para ultrapassar os obstáculos. Nos bancos da escola, o contato do seu ombro contra o meu me fortalecia e, se me fizessem perguntas, o murmúrio da sua voz na minha orelha costumava soprar-me a resposta certa.

Ele ostentava o orgulho dos rebeldes que varriam os obstáculos, dos heróis de quadra de recreação suspensos com o voo de uma bola, conquistadores que escalavam as grades. Eu os admirava, as costas coladas na parede, incapaz de rivalizar com eles, esperando o sinal libertador para reencontrar, enfim, meus cadernos. Escolhera um irmão triunfante para mim. Insuperável, saía-se bem em todas as matérias, enquanto eu passeava a minha fragilidade sob o olhar do meu pai, ignorando o rasgo de decepção que o atravessava.

Meus pais, meus bem-amados, cujos músculos eram bem polidos, como essas estátuas que me comoviam nas galerias do Louvre. Salto ornamental, ginástica rítmica para a minha mãe, luta, ginástica olímpica para o meu pai, tênis, vôlei para os dois: dois corpos feitos para se encontrar, se desposar, se reproduzir. Eu era o fruto desse encontro, mas me plantava com um prazer mórbido na frente do espelho para inventariar as minhas imperfeições: joelhos protuberantes, os ossos da bacia apontando sob a pele, braços aracnídeos. Assustava-me com esse buraco sob o plexo no qual caberia um punho, cavando meu peito como a marca nunca apagada de um soco.

Consultórios médicos, dispensários, hospitais. Cheiro de desinfetante cobrindo precariamente o suor azedo de angústia, atmosfera deletéria à qual eu acrescentava meu óbolo, tossindo sob o estetoscópio, oferecendo meu braço à seringa. Todas as semanas, minha mãe me acompanhava a um desses locais que se tornaram familiares, ajudava-me a tirar a roupa para confiar meus sintomas a um especialista que se retirava com ela em seguida para uma conversa sussurrada. Resignado, sentado na maca, aguardava o veredicto, intervenção prevista, tratamento de longa duração, no melhor dos casos, vitaminas ou inalações. Anos passados a tratar dessa anatomia abatida. Durante esse tempo, insolentemente, meu irmão exibia seus ombros largos, o bronzeado da sua pele sob sua penugem branca.

Barra fixa, banco de musculação, barra, meu pai treinava todos os dias no quarto do apartamento transformado em sala de ginástica. Minha mãe, embora passasse menos tempo ali, dedicava-se a exercícios de aquecimento, atenta ao menor sinal de frouxidão e pronta para remediá-lo.

Ambos mantinham um comércio de atacado na rua do Bourg-l'Abbé, nesse quarteirão de um dos mais antigos bairros de Paris reservado à malharia. A maioria das lojas de esporte se abastecia ali, comprando com eles camisetas, collants e roupas de baixo. Eu me instalava no caixa, ao lado da minha mãe, para receber os clientes. Às vezes, ajudava meu pai, correndo atrás dele pelo estoque para vê-lo levantar sem esforço pilhas de caixas ornadas de fotos de esportistas: ginastas em argolas, nadadoras, lançadores de dardo, que eu olhava se empilhar nas prateleiras. Os homens tinham o mesmo corte curto e levemente ondulado do meu pai, as mulheres ostentavam a escura cascata de cabelos da minha mãe, amarrada com uma fita.

Algum tempo depois da minha descoberta no quarto de despejo, insisti para voltar lá, e dessa vez minha mãe não pôde me impedir de descer com o cãozinho. Na mesma noite, instalei-o na minha cama. Quando me acontecia de me indispor com meu irmão, refugiava-me ao lado do meu novo companheiro, Simo. Onde eu tinha ido procurar esse nome? No cheiro poeirento da sua pelúcia? No subterfúgio dos silêncios da minha mãe, na tristeza do meu pai? Simo, Simo! Eu passeava com meu cão pelo apartamento e nem queria saber da inquietação dos meus pais quando me ouviam chamá-lo.

Quanto mais velho eu ficava, mais tensa se tornava a minha relação com meu irmão. Eu inventava querelas, revoltava-me contra a sua autoridade. Tentava aplacá-lo, mas saía raramente vitorioso das nossas discussões acaloradas.

Com o passar dos anos, ele se transformara. De protetor, tornou-se tirânico, debochado, às vezes desdenhoso.

Adormecendo ao ritmo da sua respiração, eu continuava, contudo, a lhe confiar meus medos, minhas derrotas. Ele os acolhia sem nenhuma palavra, mas seu olhar me reduzia a nada, ele expunha as minhas imperfeições, levantava o lençol e continha um riso. Então a cólera me invadia, eu o segurava pela garganta. Irmão inimigo, irmão falso, irmão de sombra, volte à sua noite! Com os dedos nos seus olhos, eu apertava com toda a minha força o seu rosto, para cravá-lo nas areias movediças do travesseiro.

Ele ria, e nós dois rolávamos embaixo das cobertas, reinventando as brincadeiras de circo na escuridão do nosso quarto. Perturbado por seu contato, eu imaginava a doçura da sua pele.

Meus ossos se alongaram, minha magreza se acentuou. Alertado, o médico da escola convocou meus pais para se assegurar de que eu comia quando tinha fome. Eles voltaram magoados. Fiquei com raiva de mim mesmo por tê-los feito passar essa vergonha, mas aos meus olhos o prestígio deles se encontrou reforçado: eu detestava o meu corpo, e a minha admiração pelos corpos deles não tinha mais limites. Eu descobria uma nova forma de gozar do meu status de vencido. A falta de sono afundava cada dia um pouco mais as minhas bochechas, a saúde resplandecente dos meus pais contrastava cada vez mais com o meu aspecto débil.

Meu rosto apresentava as olheiras azuladas, a tez lívida de uma criança esgotada pelas práticas solitárias. Quando eu me trancava no quarto, levava sempre comigo a imagem de um corpo, a tepidez de uma carne. Quando não enganchava meus membros nos do meu irmão, festejava o brilho que vinha me ofuscar na hora do recreio. No pátio da escola, eu me refugiava à beira do espaço reservado às meninas, onde jogavam amarelinha ou pulavam corda, longe das brincadeiras de bola e das exclamações que ressoavam no território dos meninos. Sentado nas proximidades de suas vozes claras, sobre o chão de cimento, deixava-me embalar por seus risos e seus uni-duni-tês e, no momento em que voavam, surpreendia embaixo das suas saias a brancura de uma calcinha.

Eu tinha pelo corpo uma curiosidade sem limites. Bem cedo a proteção das roupas não me escondia mais nada, meus olhos funcionavam à imagem desses óculos mágicos cuja publicidade eu tinha visto numa revista, garantindo-os poderosos, como raios X. Livres dos uniformes de citadinos, os passantes revelavam tanto seus tesouros quanto suas imperfeições. Na primeira olhadela, eu descobria uma perna torta, um peito pendurado no alto, um ventre proeminente. Meu olhar exercitado procedia a uma verdadeira seara de imagens, coleção de anatomias que eu folheava com o chegar da noite.

Na rua do Bourg-l'Abbé, eu aproveitava a agitação dos dias cheios para explorar o estoque. A loja ficava instalada no térreo de um edifício vetusto, uma escada dava acesso aos quartos de um antigo apartamento, cômodos escuros revestidos de prateleiras, impregnados de um odor de papelão e acabamento. Da mesma forma que eu teria percorrido as prateleiras de uma biblioteca à procura de um título, deixava correrem meus olhos pelas etiquetas: maiôs, calças de esporte, meias de ginástica. Criança, jovem, adulto, eu comparava os tamanhos, interessava-me pelas dimensões dos sapatos, cada um desses números convocava uma silhueta nova, logo revestida desses acessórios. Quando tinha certeza de não ser incomodado, eu levantava a tampa das caixas, o coração acelerado, e me apoderava do seu conteúdo. Mergulhava meu rosto nelas, depois expunha essas peças no balcão prensando meu ventre na borda de carvalho, para recompor à minha guisa a silhueta de uma ginasta, de uma jogadora de basquete ou de um maratonista.

A loja dividia o térreo do imóvel com o consultório da Senhorita Louise. Seu laboratório ocupava dois cômodos laqueados de branco: um escritório e uma sala de tratamento, com o chão recoberto de linóleo. Algumas plantas verdes cloróticas vestiam uma vitrine em que se expunham em letras de esmalte os serviços oferecidos: tratamentos em domicílio, injeções, massagens. Louise fazia parte da nossa família, eu a conhecia desde sempre. Nos dias calmos, ela vinha apoiar os cotovelos no caixa para conversar. Regularmente, sobre a sua maca coberta com um lençol branco, massageava meus pais. Uma vez por semana injetava-me vitaminas ou me sentava na frente do nebulizador: com duas ponteiras cuspinhando nas narinas, eu permanecia imóvel, mergulhado nos meus pensamentos, entorpecido pelo barulho da máquina.

Louise havia ultrapassado os sessenta, carregava no rosto os estigmas do álcool e do tabaco, os excessos tinham marcado seus olhos sublinhados de bolsas, sua pele lívida flutuava num rosto destruído. Apenas as mãos enérgicas, emergindo das mangas da blusa, pareciam possuir uma ossatura: duas mãos autoritárias, com as unhas curtas, os longos dedos que se desdobravam e se impunham enquanto ela falava. Eu procurava a sua companhia, atravessando com a maior frequência possível o estreito corredor amontoado de caixas para lhe fazer uma visita. Passava menos tempo na loja do que lá, onde podia falar sem constrangimento. Sentia-a próxima de mim, sem dúvida por sua deformidade: devia seu passo manco a um pé torto dissimulado num calçado ortopédico, um grilhão de couro preto que ela carregava por toda a parte. Sua silhueta vacilante e desordenada pelas paredes do corredor era como o seu rosto, um saco de pele que não sustentava nenhuma armadura. Predisposta a crises de reumatismo que inflamavam as articulações, Louise expelia essa dor surda com um movimento exasperado da mão. Eu entendia os motivos do seu gesto: ela detestava a sua aparência.

 Era fascinado por esse corpo sem esqueleto que entretinha tal intimidade com os nossos: o dos meus pais, quando vinham depositar seu cansaço na mesa de massagem, e o meu, quando lhe apresentava minhas nádegas para que me injetasse um desses líquidos revitalizantes.

Louise dizia conhecer meus pais desde que vieram para a rua do Bourg-l'Abbé. Enaltecia a beleza da minha mãe, a elegância do meu pai, atravessada por um estremecimento quando pronunciava o nome deles. Tínhamos nossos rituais. Em cada uma das minhas visitas, ela me preparava um chocolate no recipiente onde fervia suas agulhas. Saboreava-o a pequenos goles, e ela me fazia companhia, com um copo do licor ambreado que escondia no armário de medicamentos. Curioso, fazia-lhe perguntas que jamais ousaria fazer a meus pais. Ela se pretendia sem segredos, sua vida estava lá, nesse consultório escuro, dispensava seus bons cuidados aos frequentadores, escutava-os dia após dia. O resto tinha tão pouco interesse: vivia no pavilhão da sua infância, onde tinha nascido e crescido. Seu horizonte se limitava aos dois cômodos do consultório e à casa de pedras, rodeada pelo seu jardinzinho de subúrbio. Desde a morte do pai, tomava conta da mãe, repetindo à noite com a velha impotente os gestos que realizava ao longo do dia.

Em alguns dias mais propícios à confidência, Louise contava a infância de uma menina coxa, desprezada, que vivia à sombra de seus camaradas mais ágeis. Reconhecia-me nessa história. Queria saber mais, porém, logo, como a cada vez que abordava um tema penoso, vinha-lhe o mesmo gesto de quando queria afastar a dor: varria o ar com as mãos e plantava seu olhar interrogador no meu, esperando minhas confidências. Então, eu me permitia lhe contar meus sonhos. Seus suspiros pontuavam minha narrativa, materializados pela fumaça do cigarro.

Há anos, ela escutava meus pais com a mesma atenção, deixando correr sobre eles essas mãos enérgicas que os aliviavam das suas preocupações: com o cansaço, eles abandonavam no consultório dela os seus segredos.

II

Durante muito tempo fui um menino que sonhava com uma família ideal. A partir das raras imagens que me deixavam entrever, imaginei o encontro dos meus pais. Algumas palavras soltas sobre sua infância, fragmentos de informações sobre sua juventude, sobre seu idílio, tantos fragmentos sobre os quais me lancei para construir minha improvável narrativa. Desenredei à minha maneira a meada de suas vidas e, da mesma maneira que me inventei um irmão, fabriquei com todas as peças o encontro dos dois corpos dos quais nasci, como se estivesse escrevendo um romance.

A prática do esporte, sua paixão comum, tinha unido Maxime e Tania: minha história só podia começar no estádio onde os acompanhava com tanta frequência.

A Alsaciana deita seus terrenos de esporte, sua piscina e seus ginásios ao longo do Marne. Chega-se diante do seu portão, sobre o qual se encontra uma cegonha metálica, depois de ter ladeado as margens repletas de tabernas. Aos domingos, todos se apressam na direção desses bailaricos flanqueados de restaurantes onde degustam pratos de fritura acompanhados de um vinhozinho branco ácido. Rapazes de camisa com os braços de fora e moças em vestidos floridos se entrelaçam ao som do acordeão e se despem na época mais quente do verão para mergulhar na água fria. A indiferença dos banhistas e as exclamações dos dançarinos contrastam com o fôlego e os suspiros dos ascetas em trajes brancos, na maior disciplina, que ostentam sua concentração no gramado do estádio.

Maxime é o florão dessa trupe, brilha no ginásio, derruba seus adversários na luta greco-romana, efetua sem esforço a cruz de ferro nas argolas. Ele tem do que se desforrar: começou a trabalhar muito jovem no comércio de malharia do pai. Os meios escassos de Joseph, emigrante romeno, não lhe permitiram garantir aos três filhos estudos longos. Os dois mais velhos se contentaram com seu destino, casaram-se muito jovens e repetem sem emoção a trajetória paterna. Mas Maxime, o caçula, gostaria de ter se tornado médico ou advogado, uma dessas profissões que autorizam a preceder seu nome de um título. Seria então chamado doutor ou mestre, o que faria esquecer a consonância estrangeira de seu patronímico. Fareja-se nele o desenraizamento, sente-se a tentação de enrolar seus "r", flutuam nele bafios da cozinha da Europa central, realces muito acentuados aos olhos desse jovem com ambições de dândi. Apaixonado por Paris, ele quer se incorporar à cidade, adotar suas modas, impregnar-se do perfume de indiferença que nela reina.

O preferido da mãe Caroline, morta quando ele ainda era criança, gosta de seduzir. Veste-se com bom gosto, usa camisas sob medida. Quer brilhar, e a primeira compra importante a qual se dá o direito é um carro conversível, com peças de aço cromado e assentos de couro. Atravessa Paris, cotovelo na portinhola, cabelo ao vento, esperando o olhar dos transeuntes, desacelerando nas filas de espera dos pontos de táxi para propor carona a alguma desconhecida. Muito cedo, viu refletir nos olhos das moças o charme de seu rosto.

À mercê de seus passeios automobilísticos ao longo do Marne, ladeou as grades do clube. Impressionado pelo ardor desses rapazes e dessas moças, logo se inscreveu e começou a praticar diferentes disciplinas para alcançar seu ideal de perfeição.

Em alguns anos, a musculação e a ginástica olímpica lhe desenharam a estatura com a qual sonhava: sua envergadura de atleta coloca suas origens no esquecimento.

Tania é a única a perceber as linhas invisíveis que atravessam o estádio. Seu olho de desenhista se apodera delas para compor abstrações: vias de aço, faíscas, tensões e relaxamentos que ela traduz por feixes de cor no seu caderno de croqui.

Desfila para costureiros, e no resto do tempo esboça silhuetas e vende-as para um jornal de moda. Mulheres de meia três quartos, com o quadril levemente para o lado, roupas estampadas, penteadas com penachos. Mora na rua Berthe, ao pé de Montmartre, num dois quartos que prolonga o ateliê de costura da mãe. Quando criança, passava horas sentada num banquinho, olhando esvoaçar as mãos dessa mulher toda redonda, vestida com uma bata, calçada com chinelos, de onde brotavam milagres de elegância. Por influência das criações da mãe, seus desenhos de criança se tornaram mais finos, depois ela rabiscou cadernos inteiros, inventando silhuetas com ombros marcados. Deixou a escola logo depois do certificado de estudos e, como a precisão de seu traço chamava a atenção, inscreveu-se numa escola de moda.

As duas mulheres vivem sozinhas, e Martha corta dia e noite suas fazendas para garantir à filha uma vida confortável. O pai de Tania as abandonou. Ela mantém um retrato dele na mesinha de cabeceira, arco na mão, o rosto ossudo que a arte do fotógrafo transformou no de um misterioso virtuose. Ele lhe transmitiu um nome de consonância inglesa, irrepreensível. O de Martha carrega o vestígio de seus antepassados imigrantes, o sotaque da Lituânia, província russa de contornos incertos que Tania dificilmente situaria num mapa.

Violinista desempregado, André viveu de cachês provisórios, tocando *Os olhos pretos* ou *Kalinka* nos cabarés russos da capital, acompanhando cantores de variedades em salas de concerto sem glória. Desde a idade mais tenra, tentou iniciá-la em seu instrumento, e ela guarda dessas aulas uma lembrança apavorante. Para satisfazer a ambição paterna, teria até se tornado uma dessas meninas prodígios cuja foto se ostentava na primeira página dos jornais, mas tirou do seu instrumento apenas estridências insuportáveis, rompendo os tímpanos do pai, desencadeando a sua ira.

*

Um dia, André deixou a rua Berthe sem prevenir, e elas nunca mais o viram. As últimas notícias que lhes chegaram, rabiscadas atrás de cartões-postais, provinham da África. O que ele tinha ido fazer lá? Tania imaginava o pai num vilarejo da selva, ensinando violino a crianças indígenas bem mais talentosas do que ela.

Desse abandono, ficou-lhe a nostalgia de uma carreira artística. Tania se sabe bonita, mas nem os elogios nem os olhares eloquentes dos transeuntes bastam para tranquilizá-la. Ainda estudante, sofreu por não poder brilhar: fora o desenho, apenas as suas aptidões físicas foram notadas. Uma de suas amigas que praticavam na Alsaciana lhe propôs que a acompanhasse e, rapidamente, Tania se sobressaiu.

Maxime nota a beleza de Tania e quer conquistá-la. Tania também está seduzida por esse rapaz: aguarda sua chegada, segue-o com os olhos, às vezes vai ao ginásio para assistir a um de seus combates. O espetáculo de Maxime com traje de lutador, aprisionando seu adversário no tornilho das pernas, não a deixa indiferente.

Modelada num maiô preto, com uma touca branca que sublinha a pureza de seus traços, Tania é deslumbrante. Projetada no céu após alguns saltos, rasga o ar, e depois, recolhida sobre si mesma, inscreve suas figuras perfeitas no espaço antes de correr para a superfície que se fecha sobre ela sem um salpico. Maxime nunca deixa de se instalar ao pé da prancha de saltos quando a equipe feminina treina.

Ele gosta das conquistas fáceis. Tem o olho num tornozelo fino, num decote que o verão deixa cintilante. Um sorriso, um olhar um pouco insistente, e a jovem presa sobe no seu conversível. Ele a leva para jantar, carrega seu olhar de promessas. Inflamado no mesmo instante, magnetizado por um detalhe, confunde desejo com amor, e muito rapidamente murcha o encanto do encontro.

Não será assim com Tania, ele o sabe. Decide contrariar o hábito: não se apressar. Seu olhar experiente descobre sem piedade o ponto fraco de uma anatomia, por mais promissora que seja. Uma perna sem realce, um pé quadrado demais, um pouco de flacidez na barriga e logo o encanto de uma lombar ou de um seio se estiola. Nada disso acontece com Tania: tudo nela responde a seu desejo.

Pouco a pouco, no decorrer de seus encontros, a campeã invulnerável lhe desvela sua fragilidade e suas dúvidas. Sob a estátua, ele vê despontar a menina. Ao cabo de algumas semanas não pode mais se privar da sua presença. Eles se encontram fora do clube, e ao volante do seu conversível ele a leva para conhecer seus cantos preferidos da capital: a Concórdia, embaixo da chuva, o charme provinciano da praça Furstenberg, o mercado de Aligre, o pequeno cemitério de campo que rodeia a igreja de Charonne.

No final de alguns meses, eles se instalam no apartamento desse bairro tranquilo onde irei nascer. No ano seguinte, decidem se casar. Tania deixa de desfilar para os costureiros, junta-se a Maxime na loja da rua do Bourg-l'Abbé, e sob a influência deles o comércio se especializa em artigos de esporte.

Maxime continua vivendo no encanto de seu encontro. Tania compartilha esse sentimento de plenitude, mas gostaria de ter um filho. Maxime hesita, ainda quer aproveitar Tania sozinho por alguns anos. A ameaça de guerra que se define lhe fornece um argumento a mais: seria razoável conceber um nascimento nesse período incerto?

Paris aguarda a notícia. Pode-se senti-lo na efervescência que agita as ruas, nos debates que animam os arredores das bancas de jornal. Maxime e Tania trabalham com mais intensidade que nunca, o ritmo da loja se acelera, como se a ameaça de uma catástrofe fizesse nascer uma febre de despesas. Essa atmosfera é perceptível no estádio, onde continuam seus treinos. Cada um tenta se superar, os embates nas academias ganham intensidade, lançando os adversários em justas mais fervorosas, sujeitos a uma sede de vencer que se intensifica.

Eles tomam conhecimento da invasão da Polônia pelas tropas alemãs, a rádio emite frequentes comunicados alarmistas, Maxime e Tania os escutam, debruçados sobre o grande receptor de nogueira, no pequeno escritório acomodado no primeiro andar da loja.

Na primeira página dos jornais, colunas pretas como anúncios fúnebres lhes anunciam a declaração de guerra. Eles experimentam um sentimento de irrealidade: dois exércitos, obedientes a decisões políticas que lhes escapam, engendradas em gabinetes distantes, vão combater no norte da França, ao longo de fronteiras impalpáveis. Não ouvirão nem deflagrações, nem gritos de agonia. A França, bem protegida atrás dessa linha Maginot, cuja invulnerabilidade foi enaltecida, sairá rapidamente vitoriosa. Aquilo que vai se passar na lama e no sangue toma a seus olhos a simples aparência de um embate esportivo.

Sempre que meus pais abordavam a época da guerra surgia o nome do vilarejo que os acolhera quando a penúria e as ameaças de requisição os tinham levado a transpor a linha de demarcação. Eles haviam fechado a loja, confiado as chaves a Louise, sua vizinha e fiel amiga. Ela velaria para que as mercadorias não fossem saqueadas em sua ausência. Uma de suas primas, que trabalhava na prefeitura de uma localidade de Indre, fornecera-lhes o endereço de uma família que poderia abrigá-los. Seguros de encontrar um teto, eles tinham deixado Paris em direção a Saint-Gaultier, cujo nome pronunciavam com exaltação. Associavam-no a dois anos excepcionais, lembranças de pura alegria, parêntese de serenidade no tormento.

Encontraram refúgio na casa de um coronel aposentado que vivia na companhia da filha solteira, já com certa idade, antiga professora primária. Longe dos rumores da guerra, a aldeia é uma ilha de calmaria. As angústias, as privações e o racionamento de que sofrem as grandes cidades não parecem tê-los atingido. O coronel mantém boas relações com os fazendeiros dos arredores, que ele conhece de longa data. Desde o início das hostilidades, praticam o abate clandestino, carne e matérias-primas não lhes faltam. Nos primeiros dias de sua instalação, Maxime e Tania acreditam sonhar ao verem chegar à mesa do coronel ovos frescos, tabletes de manteiga e carnes assadas.

Alojam-se num quarto no sótão e compartilham a vida calma de seus anfitriões, cujas noites são ritmadas pelo timbre de um relógio de parede. Maxime retribui a acolhida trabalhando no parque da propriedade, assim como nos das habitações vizinhas, rachando lenha no inverno, cuidando das platibandas e hortas. Tania propõe cursos de ginástica para as crianças da escola. Essas atividades lhes proporcionam o prazer de explorar a região, percorrendo de bicicleta as estradas inclinadas que sobem de assalto as colinas vizinhas. Quando o sol permite, Tania atravessa o rio Creuse a nado, às vezes escala o pilar de uma ponte em ruína sobre a qual vem se quebrar a corrente, e mergulha na água fria. Sentado sobre a grama da margem, Maxime contempla sua silhueta nimbada de sol.

À noite, depois de ter feito companhia ao coronel e à sua filha, Maxime e Tania saem da propriedade no momento em que a cidade adormece, passeiam na escuridão das margens e se beijam como jovens apaixonados, apoiados contra o muro de pedra ainda morno. O sussurro do rio reforça a quietude do local, a lua banha com o seu clarão fantasmático os caminhos entre as muralhas que dominam o local: como imaginar o grito das sirenes arrancando do sono famílias atemorizadas? Como imaginar a angústia de mulheres e crianças apertadas umas contra as outras na penumbra de porões que poderiam se tornar seu túmulo?

Quando o frescor da noite cai sobre seus ombros, eles voltam para casa, apertados um contra o outro, sobem a escada evitando estalar o carvalho e se amam em silêncio na cama estreita, entrelaçados até a aurora.

Durante muito tempo acreditei ser o primeiro, o único. Teria gostado de nascer dos amores de meus pais em Saint-Gaultier, na volta de seus passeios noturnos, em seu pequeno quarto sob o teto. Menos abatidos que outros pela guerra, pelos crimes e humilhações e os crimes dos invasores, eles comparavam essa estada a um período de férias extensas. Eu imaginava que um desvio benevolente tinha afastado de Saint-Gaultier o longo trem de lutos, sofrimentos e abominações, que sua carga sinistra não transitara pelas ruas pacíficas do pequeno vilarejo. Reduzida às informações difundidas pelas vozes nasaladas dos cronistas, a guerra só tinha exibido seus horrores nos postos de transmissão sem fio, e as imagens de terror haviam ficado bem protegidas sob as capas dos manuais de história.

De volta a Paris, Maxime e Tania encontraram a loja intacta, mas constataram com desgosto a opulência dos comerciantes vizinhos. Aqueles que não foram obrigados a fugir construíram verdadeiras fortunas, tirando proveito da pouca concorrência e da extraordinária alta de preços. Louise os aguardou, velou os bens deles como se fossem os seus. Sobreviveu às provações, às humilhações.

Os primeiros anos do pós-guerra se revelam menos confortáveis que os de seu retiro em Indre: o abastecimento é difícil, a mercadoria lhes chega a conta-gotas, é preciso dar às indústrias o tempo necessário para voltarem a funcionar. Os teares do vale de Aube giram dia e noite, as fábricas penam para honrar seus pedidos. A comida não é farta em sua mesa, as senhas de racionamento ainda estão em vigor. Maxime e Tania retomam, contudo, seus hábitos, a clientela se amontoa novamente na loja, e os dois reencontram o caminho das fronteiras do Marne para se dedicar como outrora aos treinos.

Alguns anos mais tarde, as feridas do país parecem cicatrizadas. Tania insiste novamente junto a Maxime, já faz muito tempo que ela quer esse filho. Mas ele ainda se mostra reticente. Sua vida a dois lhe traz tantas alegrias, seu desejo por Tania não sofre de nenhuma lassidão, e as mesmas hesitações de antes o fazem recuar: não quer dividir a mulher. Mais tarde, dirá sorrindo, ao falar da minha concepção, que essa criança lhe escapou.

Quando, enfim, a minha vinda se anuncia, Tania vê com alegria seu ventre se arredondar, mas a partir do parto as coisas se complicam. Fala-se em fórceps, quem sabe cesariana. Por fim, o resultado da união dos dois atletas está ali, recolhido num lençol branco: bem diferente daquele com quem sonharam, trata-se de um bebê frágil, que é preciso salvar da morte.

Sobrevivi graças aos bons cuidados dos doutores e ao amor da minha mãe. Meu pai também me amou, quero acreditar nisso, superando sua decepção, encontrando nos cuidados médicos, na inquietação, na proteção, do que alimentar seus sentimentos. Mas seu primeiro olhar deixou seu vestígio em mim, e costumava reencontrar nele um rasgo de amargura.

III

Todo início de ano, eu estabelecia o mesmo objetivo: chamar a atenção de meus professores, tornar-me o preferido, subir num dos três degraus do pódio. Dessa única competição eu podia pretender ser o vencedor. Este era o meu domínio; o resto do mundo, eu entregara ao meu irmão: apenas ele poderia conquistá-lo.

O cheiro dos livros novos me subia à cabeça, eu me embebedava com as amêndoas da cola de pote, com o couro da minha pasta ao enterrar o rosto nela. Os cadernos se acumulavam nas gavetas da minha escrivaninha, eu não os relia nunca. O vigor que me faltava no momento das atividades físicas ia à incandescência quando, com uma caneta na mão, eu preenchia páginas inteiras das narrativas que inventava. Às vezes, elas me concerniam de perto, sagas familiares, crônicas dos meus pais; às vezes, perdiam-se em contos abomináveis semeados de torturas, de mortos e reencontros, brincadeiras de circo, histórias encharcadas de lágrimas.

Os anos se passavam e eu ultrapassava um por um, sem dificuldade, os obstáculos de cada série. Tanto na escola quanto em família eu era uma criança modelo. Minha mãe me levava toda semana ao Louvre, meu pai compartilhava comigo sua paixão por Paris, que eu percorria com ele, descobrindo lugares desconhecidos por turistas. Meu universo se restringia ao nosso trio. Aos domingos, meus pais encontravam seus amigos esportistas, para torneios de vôlei ou tênis. Sentado na grama com meu caderno e minha caneta, eu devorava com os olhos esses corpos que saltavam, luzindo de suor sob o sol, enriquecia minha coleção de imagens. Não me misturava nunca às brincadeiras das outras crianças que já seguiam os rastros de seus pais, deixava meu irmão se juntar a eles e disputar a bola, triunfar nas pistas e nas quadras liberadas pelos adultos.

Joseph, meu avô paterno, batia todas as tardes à nossa porta, com um vidro de pepino em conserva Malossol ou uma caixa de doces árabes no cesto. Às vezes, ele me trazia *mendiants*, pequenas embalagens de papelão cheias de frutas secas e amêndoas, no interior das quais eu encontrava uma adivinhação: na imagem de Epinal, era preciso encontrar o lobo no meio de uma confusão de galhos, o rosto da caseira nas fissuras de um muro. Com a sua voz quase apagada, ele me detalhava suas lembranças sépia. Inesgotável sobre a Paris da Belle Époque, não proferia palavra sobre a sua juventude. Nunca comentara sua decisão de deixar seu país natal, virara a página sobre esses anos, abandonando no subúrbio de Bucareste a lembrança de uma família da qual assegurava não ter recebido mais notícias.

Domingo à noite, a mesa estava posta na casa de Georges e Esther. Refugiado no silêncio, meu tio pensava que fora de sua sabedoria contemplativa tudo era vão.

Minha tia, pequena mulher ruiva com a boca grande e os olhos verdes, guardara o hábito de sublinhar seu olhar trágico com um traço espesso de lápis. Animava esses jantares com a sua falação incessante. Na época de seu esplendor, devia ser parecida com Sarah Bernhardt; guardou desse tempo o senso da representação, e desmaiava nos dias de feira quando a multidão lhe apertava demais. Tendo perdido há muito tempo a esperança de um diálogo possível com o marido, compensava essa falta com a família, nas noites de domingo, regalando-a com suas anedotas. No resto do tempo, fumava cigarro após cigarro, aguardando a clientela da sua loja de novidades, perto do metrô Charonne.

Minha tia Elise e seu marido Marcel vendiam uniformes profissionais, macacões de trabalho, camisas de lã quadriculadas, blusas de um cinza escuro, no coração do subúrbio operário de Malakoff. Elise lia muito, citava grandes autores e poetas e defendia violentamente suas opiniões marxistas ao longo das refeições familiares semanais.

Às vezes eu passava curtos períodos de férias no subúrbio próximo onde Martha vivia. Rechonchuda, gulosa, solícita em me satisfazer, seus olhos cintilavam por detrás das lentes espessas de seus óculos. Durante muito tempo, imaginei sua rua habitada por todas as avós das crianças da capital. Elas preparavam os mesmos doces para festejar a sua chegada, usavam a mesma blusa, e ostentavam, todas, esse belo penteado espumoso.

Louise, que não fazia parte da nossa família, continuava sendo a minha preferida. Talvez eu tivesse sentido que nossa cumplicidade era mais profunda do que com aqueles do meu sangue. Por mais afetuosos que fossem, uma impalpável barreira deixava distante de mim tios, tias, avós, proibindo as perguntas, repelindo qualquer confidência. Uma sociedade secreta, ligada por um luto impossível.

No decorrer de nossas tardes na penumbra de seu consultório, Louise me detalhava as realidades de uma guerra que terminara alguns anos antes do meu nascimento. Ela era inexaurível: ninguém devia esquecer as angústias, as humilhações dos perseguidos. Durante muito tempo, escondeu de mim que também as tinha sofrido. Até os meus quinze anos, Louise respeitou o segredo com o qual meus pais haviam me cercado, segredo do qual fazia parte. Talvez ela esperasse um sinal antes de me falar sobre isso. Uma palavra, uma alusão minha que lhe permitisse entreabrir a porta.

Numa noite, a televisão difundiu um filme sobre esse período, e meu pai se retirou para sua sala de ginástica, incapaz de suportar seu espetáculo. O choque de seus halteres, os assobios da sua respiração cobriram o gritar de ordens numa língua que ele não podia mais ouvir. Fiquei sozinho com a minha mãe no sofá da sala. Mais muda que nunca, no que pensava? Sem uma palavra, assistimos a essa ficção em preto e branco: cenários reconstituídos em estúdios, atores em uniforme, figurantes concentrados em recintos. Fascinado pelo espetáculo desses corpos desnudos apertados uns contra os outros, não pude tirar os olhos dessas mulheres que protegiam os seios, desses homens com as mãos em forma de concha sobre o sexo, avançando no frio em fila indiana para alcançar o prédio das duchas. As primeiras nudezas que eu via na tela, manchas pálidas que se destacavam sobre o fundo cinza do abarracamento. Sabendo muito bem o que faria uma vez sozinho no quarto, retardei meu olhar sobre essas carnes já profanadas.

Eu tinha deixado o primário, frequentava o colégio do bairro. Incumbia-me de manter-me à frente do pelotão e era um dos primeiros a transpor a linha de chegada. Dispensado do esporte por razões médicas, passava a hora da educação física na sala de permanência, mergulhado em meus livros. Pela janela, via os outros se engalfinharem, tentando se apoderar da bola que se introduzia entre suas pernas, ouvia seus gritos, seus vivas para comemorar um gol. Tão robustos quanto o meu irmão, tão impiedosos, derrubavam seus adversários enquanto eu debruçava meu peito cavado sobre a mesa de trabalho.

Os dias corriam, todos iguais, as noites se sucediam, e eu exibia meu teatro de fantasmas. Uma existência perfeitamente regrada, até o acontecimento que marcaria a reviravolta.

Meu corpo estava alongado, eu escondia minhas pernas e meu torso estreito em roupas largas. Na noite da véspera, eu tinha assoprado as velas dos meus quinze anos. Em breve, festejaríamos outro aniversário, o da vitória de 1945. O diretor, que tinha decidido projetar um documentário aos alunos, nos reunira na escuridão de uma sala de aula na frente de um pano estendido sobre o quadro negro. Encontrei-me sentado ao lado do capitão da equipe de futebol, um garoto robusto, bagunceiro, com o cabelo cortado à escovinha, que nunca tinha me dirigido a palavra.

A projeção começou: pela primeira vez, vi as montanhas. Essas terríveis montanhas das quais eu só tinha lido descrições. As bobinas giravam, desenrolando sua película, escutava-se apenas o barulho do projetor. Entulhos de sapatos, de roupas, pirâmides de cabelos e membros. Nem figurantes, nem cenário, ao contrário daquele filme que minha mãe e eu tínhamos visto em silêncio. Eu bem teria ido me esconder para escapar dessas imagens. Uma delas me prendeu à cadeira: a de uma mulher que um soldado em uniforme puxava pelo pé para precipitá-la numa fossa já cheia. Esse corpo desarticulado tinha sido uma mulher. Uma mulher que havia feito compras, contemplado num espelho o caimento elegante de seu novo vestido, uma mulher que tinha posto novamente no lugar uma mecha escapada de seu cabelo: não era mais do que essa boneca desconjuntada, arrastada como um saco, e cujas costas pulavam sobre os pedregulhos de um atalho.

A visão era forte demais, a obscenidade muito violenta para que eu pudesse pensar em levar essa imagem para o meu quarto. Em algumas noites, eu não hesitara, contudo, em evocar outras, como depois da ficção televisiva, quando eu fizera a minha escolha na fila dos corpos nus, designando aquele que eu submeteria ao meu desejo.

Meu vizinho, o capitão de equipe, se agitara sobre o banco desde o início da projeção. Aproveitando a escuridão, proferira à meia-voz algumas grosserias que desencadearam a hilaridade da turma. Continha um riso ao ver esse corpo obsceno que a cada sacudidela abria as coxas num triângulo preto. Ele me empurrava com o cotovelo, e ouvi-me rir também, para lhe agradar. Gostaria de encontrar algo de engraçado para diverti-lo. Ele imitou o sotaque alemão: "Ach! Cães judeus!" e ri ainda uma vez, porque era a primeira vez que um desses corpos gloriosos procurava a cumplicidade do meu. Ri até enjoar. De repente, meu estômago se revirou, pensei que fosse vomitar e, sem refletir, bati violentamente em seu rosto. Ele hesitou por um momento de estupor, tive apenas o tempo de ver a mulher em preto e branco se refletir em seus olhos arregalados antes de ele se jogar sobre mim para me cobrir de murros. Rolamos por cima da mesa, eu não era mais eu mesmo, pela primeira vez não sentia nenhum temor, não tinha medo de que seu punho viesse se alojar na cavidade do meu plexo. Meu enjoo tinha desaparecido. Peguei-o pelos cabelos para bater sua cabeça no chão, enfiei meus dedos em seus olhos, cuspi na sua boca. Eu não estava mais no colégio, lutava como tinha o hábito de fazer todas as noites, com a mesma excitação, mas, ao contrário do meu irmão, meu adversário não iria ganhar vantagem. Sabia que ia matá-lo, ia realmente fazer seu rosto desaparecer na areia.

Alertado por nossos gritos, o inspetor interrompeu a projeção e reacendeu as luzes. Ajudado por alguns alunos, separou-nos: eu só via com um olho, um líquido quente escorria sobre minha bochecha, e fui levado à enfermaria. Deixei a sala sob os insultos do meu vizinho, que tinha o rosto em sangue. Apesar de tudo, eu tinha conseguido danificar seriamente seu nariz, vitória que me valeu durante algumas semanas a consideração da turma.

Guardei desse episódio um curativo sobre a arcada superciliar exibido nos corredores do colégio com orgulho. Mas essa ferida me trouxe bem mais do que uma glória efêmera: foi o sinal que Louise esperava.

No dia seguinte mesmo, na rua do Bourg-l'Abbé, eu contava tudo à minha velha amiga. Aos meus pais, eu dera uma versão que me poupava de evocar o documentário: uma briga no pátio de recreação depois de uma caneta roubada, aquela que eu recebera na véspera como presente de aniversário. Surpreendi um vislumbre de espanto no olho do meu pai, misturado com um pouquinho de satisfação: seu filho era então capaz de lutar?

A Louise eu disse a verdade, apenas a ela podia dizê-la. Contei da projeção, falei das montanhas, descrevi a mulher de capa, disse-lhe como eu tinha lavado a injúria que lhe fora feita. Mas não falei do meu riso. Prossegui a minha narrativa e, de repente, submergido pela emoção, chorei na frente de Louise, como nunca tinha feito na frente de ninguém. Seu rosto se desfez, ela me pegou em seus braços, e eu me deixei ir, minha bochecha contra a sua blusa de nylon. Logo senti lágrimas molharem minha testa; surpreso, levantei a cabeça: Louise também chorava, sem se conter. Ela me afastou de si para me olhar, como se se interrogasse sobre uma decisão a tomar, depois sorriu e me falou.

No dia seguinte aos meus quinze anos, tomei enfim conhecimento do que sempre soube. Eu também poderia ter costurado a insígnia no peito, como minha velha amiga, fugido das perseguições, como meus pais, minhas queridas estátuas. Como todos aqueles da minha família. Como seus semelhantes, esses vizinhos, esses desconhecidos, denunciados pela última sílaba de seus nomes em sky, thal ou stein. Eu descobria todos aqueles que tinham escondido isso de mim, marcados por esse adjetivo tão constrangedor, tão culpado. Louise não me falava mais da multidão anônima das vítimas, mas dela, de seu corpo torturado, marcado durante a guerra por uma nova singularidade: essa insígnia, pesada a ponto de acentuar seu passo manco. Ela me dizia as frases que a esbofetearam, os painéis humilhantes, as portas fechadas, os assentos proibidos. Sua surpresa, quando o uso da estrela se tornou obrigatório, em descobrir a verdadeira identidade de alguns de seus vizinhos. O merceeiro da esquina da rua, com um nome tão francês. O casal de aposentados do prédio ao lado, o médico do bairro, assim como o tão desagradável farmacêutico, que ela acreditava antissemita. A marca amarela os designava aos olhos dos outros, mas também lhes permitia se reconhecer, soldando uma comunidade que, à força de se esconder, por vezes se ignorou.

Eu tinha quinze anos, e essa nova informação mudava o fio da minha narrativa. O que iria fazer com esse adjetivo, colado à minha silhueta descarnada, parecida com aquelas que eu tinha visto flutuar em pijamas grandes demais? E como iria escrevê-lo em meus cadernos, com ou sem maiúsculas? Um qualificativo vinha se acrescentar à minha lista: eu não era apenas fraco, incapaz ou inapto. Assim que a notícia saiu dos lábios de Louise, essa identidade já me transformava. Sempre o mesmo, eu tinha me tornado um outro, curiosamente mais forte.

Não eram, pois, nem as privações, nem as petições que tinham levado meus pais a abandonar tudo para se refugiar na outra metade da França. Louise teria ficado na rua do Bourg-l'Abbé, como eles tinham me dito, vigiando a loja, ou ela também fazia parte da viagem? Essa estada em Indre tinha sido realmente o paraíso que eles haviam me descrito? Eu tinha tantas perguntas a fazer, que elas nunca transpuseram meus lábios.

Louise vacilava. Tinha falado demais, mas não podia parar aqui. Devia-me a verdade. Iria se desfazer de seu juramento, trair pela primeira vez a confiança de meus pais. Ela, que nunca tivera filhos nem, é o que diz, um verdadeiro amor em sua vida, me amava o suficiente para isso. Aquela senhora que nunca se casara iria se dispor a romper o silêncio para quem se parecia consigo, marcado por sua diferença. E eu não pensaria mais ser o primeiro, o único.

Quanto mais Louise avançava em sua confissão, mais as minhas certezas se desfaziam. Uma emoção forte demais da minha parte a teria freado em seu impulso, de tanto que eu a escutava intensamente, os olhos secos, dominando as minhas reações. A história dos meus pais, que eu tinha desejado límpida no meu primeiro relato, se tornava sinuosa. Eu percorria seu caminho às cegas, êxodo que me distanciava daqueles que eu amava para me conduzir na direção de rostos desconhecidos. Ao longo de uma estrada povoada de murmúrios, eu distinguia agora corpos estirados no acostamento.

Três mortos saíram da sombra, cujos nomes ouvi pela primeira vez: Robert, Hannah e Simon. Robert, o marido de Tania. Simon, o filho de Maxime e de Hannah. Ouvi Louise dizer "o marido de Tania", "o filho de Maxime" e não senti nada. Fiquei sabendo que meu pai e minha mãe, antes de se tornarem marido e mulher, eram cunhado e cunhada, e não reagi. Em equilíbrio sobre o fio que Louise acabava de estender, as mãos fechadas no balancim, olhei longe à minha frente, o olho fixo no fim do seu relato.

Louise acabava de pronunciar o nome de Simon. Ele fazia a sua primeira aparição oficial, depois de ter deslizado em todas essas imagens, lutadores anônimos, rapazes brutos, tiranos de pátio de recreação. O irmão que eu me inventara, aquele que havia rompido a minha solidão, esse fantasma de irmão mais velho tinha, então, existido. Louise o conhecera, o amara. Antes de ser o meu, Joseph tinha sido seu avô, Georges, Esther, Marcel, Elise, sua família próxima. Antes de se tornar minha mãe, Tania tinha sido sua tia. Como ele a chamava, que gestos tinha ela por ele?

Depois de ter me descrito esses lugares proibidos, esses painéis infamantes, essas estrelas bordadas com as cinco letras que me designavam hoje, Louise ainda queria me dizer uma coisa, a mais dolorosa, mas a sua voz se apagou.

Eu deveria em breve atravessar o corredor, dirigir-me à agitação da loja. Não era mais o mesmo, e aqueles com quem iria encontrar, a alguns metros do consultório de Louise, também tinham se transformado. Atrás das máscaras que acabavam de cair, habitavam dois sofrimentos insuspeitáveis. Alertados pela minha palidez, meus pais se inquietaram, e eu os tranquilizei com um sorriso. Observei-os, não tinham mudado. O silêncio persistiria e eu não imaginava o que poderia me levar a decidir rompê-lo. Por minha vez, procurava protegê-los.

Nas semanas seguintes, eu iria multiplicar meus encontros com Louise, continuar a minha enquete. Minha amiga abria novos capítulos, um a um: esses acontecimentos cujos detalhes aprendi no meu livro de história, a Ocupação, Vichy, o destino dos judeus, a linha de demarcação, não se reduziam mais aos títulos espessos de um manual escolar; ganhavam vida de repente, fotos em preto e branco que reencontravam suas cores. Meus pais os atravessaram, estavam marcados bem mais do que eu acreditara.

Hannah saía da escuridão, primeira esposa de Maxime, com seus olhos pálidos, sua tez de porcelana. Mãe inquieta e terna, velando seu filho único. Mais mãe do que mulher, diria Louise para desculpar Maxime, para não acabrunhar Tania.

Aprendi a conhecer Simon: orgulho do pai, coração da mãe, semente de campeão com os músculos soltos, vencendo desde pequeno. E quando a voz de Louise se partia, eu permanecia insensível: não conseguia me apiedar. O que ela me dizia de Simon provocava em mim uma cólera surda, da qual já me sentia culpado. Tentava imaginar sua desgraça, seu corpo se tornando parecido com o meu, tiritando sob o tecido grosseiro, suas costelas salientes, sua infância reduzida a esse punhado de cinzas sopradas pelo vento da Polônia. Mas eu sentia a mordida de um ciúme feroz quando Louise evocava os traços, o corpo tão bem desenhado da cópia perfeita de Maxime, mimado pelo olhar admirador do pai.

Depois de ter vivido todos esses anos sob a sombra de um irmão, eu descobria aquele que meus pais tinham escondido de mim. E não o amava. Louise me pintara o retrato de uma criança sedutora, segura de sua força, parecida em todos os aspectos com aquele que me rebaixava todos os dias. E, consciente do horror do meu desejo, eu teria gostado de lançar essa imagem nas chamas.

Eu adiara ao máximo possível o momento de saber: feria-me nos arames farpados de uma cerca de silêncio. Para evitá-lo, inventei-me um irmão, por ser incapaz de reconhecer aquele que ficara para sempre gravado no olho taciturno de meu pai. Graças a Louise, descobri que ele tinha um rosto, o do menino que haviam me escondido e que não parava de me assombrar. Feridos para sempre por terem o abandonado à sua sorte, culpados de terem construído sua felicidade por cima da morte dele, meus pais o mantiveram na escuridão. Eu vergava sob a vergonha que herdara, como sob esse corpo que à noite exercera sua tirania sobre o meu.

Ignorava que para além do meu tronco estreito, das minhas pernas franzinas, era ele que meu pai contemplava. Ele via esse filho, seu projeto de estatuário, seu sonho interrompido. No meu nascimento, foi Simon que eles depositaram ainda uma vez em seus braços, o sonho de um bebê que iria se formar à sua imagem. Não era eu, balbucio de vida, rascunho do qual não emergia nenhum traço reconhecível. Será que ele tinha conseguido esconder a sua decepção aos olhos de minha mãe, arrancar um sorriso comovido ao me contemplar?

Todos os meus parentes sabiam, todos tinham conhecido Simon, o amado. Todos tinham na memória seu vigor, sua autoridade. E todos o tinham calado para mim. Por sua vez, sem o querer, tinham-no rabiscado tanto da lista dos mortos quanto da dos vivos, repetindo por amor o gesto de seus assassinos. Não se podia ler seu nome em nenhuma pedra, ele não era mais pronunciado por ninguém, não mais do que o de Hannah, sua mãe. Simon e Hannah, apagados duas vezes: pelo ódio de seus perseguidores e pelo amor de seus parentes. Aspirados por esse vazio do qual eu não poderia ter me aproximado sem correr o risco do naufrágio. Um silêncio radiante, sol preto que não tinha se contentado em absorver sua existência, mas também tinha coberto qualquer vestígio de nossas origens.

Simon. Eu tinha certeza de ter andado mais tarde do que ele, pronunciado minhas primeiras palavras meses depois das suas. Como poderia ter me comparado a ele? Perturbado pelo prazer que eu tirava dessa derrota, cultivava uma satisfação mórbida: capitulava diante do meu irmão, a barriga contra o colchão, seu pé na minha nuca.

E foi Louise que me fez conhecê-lo. Era preciso que mais cedo ou mais tarde seu fantasma aparecesse nessa brecha, que surgisse de suas confidências. Minha descoberta do cãozinho de pelúcia o arrancara da sua escuridão e ele viera assombrar a minha infância. Sem a minha velha amiga, talvez eu nunca o tivesse sabido. Sem dúvida teria continuado a dividir minha cama com aquele que me impunha sua força, ignorando que era com Simon que eu lutava, enrolando minhas pernas nas suas, misturando minha respiração com a sua, e terminando sempre perdedor. Eu não podia saber que nunca se ganha de um morto.

IV

Acrescentei novas páginas à minha narrativa, abastecidas pelas revelações de Louise. Uma segunda história nasceu, cujos vazios foram preenchidos pela minha imaginação, uma história que não podia, contudo, apagar a primeira. Os dois romances coabitariam, escondidos no fundo da minha memória, cada um iluminando à sua maneira Maxime e Tania, meus pais, que eu acabava de descobrir.

Maxime se casa com Hannah num belo dia de verão, sob um céu sem ameaças. Depois de ter assinado o registro da prefeitura, eles se dirigem à sinagoga. Joseph está radiante por assistir à união do último de seus três filhos. Os pais da noiva também estão presentes, acompanhados de Robert, o irmão de Hannah, e de sua esposa, Tania. Eles finalmente conheceram seu cunhado Maxime, que Hannah elogiara tantas vezes em suas cartas. No dia seguinte mesmo, eles retomarão a estrada para Lyon.

Os pais da noiva reservaram para o almoço a antessala do restaurante da República. Os pratos se sucederam até que os convivas sentissem a necessidade de sacudir seu entorpecimento. Foram contratados os serviços de um trio musical, violinos e acordeões despertam a assembleia. Sobre o piso encerado, os trajes escuros dos homens entrelaçam os vestidos floridos das mulheres, todos esquecem o calor e voam ao ritmo da orquestra. Mazel Tov! Todo mundo felicita o jovem casal, quebram-se os copos, fazem-se molinetes com os guardanapos, os homens mais vigorosos carregam nos ombros o noivo, em cima de uma cadeira.

Maxime teria gostado de se livrar dessas manifestações tradicionais, mas se entrega a elas com boa vontade. Cedeu à insistência da família da noiva e aceitou o casamento religioso. Desde a adolescência, empenhou-se em colocar suas origens no esquecimento, e não aprecia nada que o lembrem delas. Esforça-se em participar, sorri a todos, presta-se ao cerimonial por respeito a sua jovem mulher e sua família. Desde o bar mitzvah, passagem obrigatória que ele não pôde recusar a Joseph, sempre evitou se juntar ao divertimento das festas. O único culto ao qual se sacrificou foi o do corpo, para o qual dedicou todo o seu tempo livre, sem conseguir se imaginar nas noites de sexta-feira ao clarão das velas, rezando e compartilhando a refeição tradicional do sabá com os seus.

Ele chega aos trinta, e seu casamento, assim o espera, marcará o fim da sua busca desvairada por encontros. Conquistas fáceis, carnes consumidas na noite, cujo encanto se rompe na manhã seguinte. A graça e a fragilidade de Hannah o seduziram, a situação próspera da sua família também contou na sua decisão. Ele esgotou seus prazeres de solteiro e sente pela primeira vez o desejo de ser pai.

Os pais de Hannah saem do carro, abrem a porta da jovem noiva, que faz sua aparição na frente da prefeitura, um véu transparente sobre os cabelos, um buquê de flores frescas nos braços. Maxime se aproxima para acolhê-la, o chapéu alto na mão. Ela o olha. Sua emoção é perceptível pela palidez de suas bochechas, pelo leve estremecimento de suas mãos. Outros carros pararam por perto, de onde saem os convidados, homens de terno, mulheres de vestidos claros ou de tailleur.

Maxime aguarda a chegada de Robert e sua esposa, Tania. Hannah lhe falou do irmão com frequência, o jovem com um sorriso insolente. Também confessou sua admiração pela cunhada, excelente atleta, nadadora emérita e mergulhadora de salto ornamental.

Eles chegam: Robert é exatamente como Hannah o descrevera, cabelos curtos e ondulados, um brilho risonho nos olhos, mas Tania é a mulher mais bonita que Maxime já viu. A silhueta longa e fina coberta por um vestido florido, uma cascata de cabelos pretos presa com uma fita estreita, um sorriso radioso.

Sente o peito dilacerado, tal beleza lhe é dolorosa, longe de iluminar a festa, vem ensombrá-la: o brilho dessa mulher lhe parte o coração. É o dia do seu casamento, quando une seu destino ao de Hannah, e ele é fulminado por esse raio de verão. Procura o olhar daquela que se tornará sua esposa e a conduz na direção da prefeitura. Transtornado pela visão de Tania, tenta se acalmar: o sedutor que dorme nele sem dúvida se manifesta uma última vez. Alguns meses antes, seu desejo teria varrido todos os obstáculos, ele teria feito de tudo, destruído o que fosse necessário, para que essa beleza fosse sua.

Na sala de casamento, famílias e convidados se amontoaram atrás do jovem casal, multidão barulhenta de onde escapam risos, soluços abafados. Maxime e Hannah trocam as alianças e se beijam sob aplausos. Aproximam-se da mesa para assinar seus nomes no registro.

Maxime atravessa esses instantes numa nebulosidade. Gira a cabeça para a assembleia, para sorrir a todos. Ele não deveria procurar esse rosto, sabendo que uma vez mais ficaria ofuscado. Tania está sentada ao lado do marido, a cabeça inclinada. Ele fixa durante alguns segundos aquela cuja visão balançou tudo. Um simples olhar, uma intenção pouco perceptível, de consequências incalculáveis. E se esse olhar fosse surpreendido? Mas os convidados, entregues à emoção, sorriem e falam entre si. Então, ele só vê Tania, deixa a cerimônia, esquece sua família, seus convidados. Fixa na jovem até que ela escute, enfim, seu chamado mudo, e levante a cabeça. Seus cachos pre os deslizam sobre o vestido, abrem-se como uma cortina sobre seus olhos. Ele sustenta o olhar, um segundo mais do que devia. Depois, vira novamente para assinar o registro. Não quer pensar na injúria que fez a Hannah, assim como a todos aqueles que vieram honrá-los.

Um pouco mais tarde, enquanto o timbre grave do chantre ressoa sob as abóbadas da sinagoga, ele levanta os olhos na direção do balcão onde as mulheres se instalaram, Tania está na primeira fileira, as pálpebras abaixadas. A jovem sem dúvida esqueceu seu primeiro olhar. Mas ele se fixa nela ainda uma vez. Ela abre os olhos, atravessada pelo mesmo clarão de surpresa.

Mas nada tem importância, o absurdo do seu comportamento torna sua homenagem mais ardente. Tudo se passa num instante. Tania é a mulher mais bonita que ele já conheceu, não pode deixá-la escapar sem fazer com que o saiba, com esse olhar insistente.

No restaurante, suficientemente distante dela, Maxime terá o tempo de cair em si. Fará a honra de cada prato, conversará alegremente com seus vizinhos de mesa. Dançará com Hannah, com a sogra, convidará a maioria das mulheres da assembleia, mas evitará a proximidade de Tania, o contato do seu corpo sob o tecido leve do seu vestido, o perfume da sua nuca, o afago dos seus cabelos. Quando, enfim, os convidados se separarão, ele sentirá um verdadeiro alívio: Tania e o marido voltam para Lyon, ele não sabe quando os reverá. A visão da cunhada por pouco não estragou seu casamento, Hannah e ele vão compartilhar sua primeira noite, nenhum outro pensamento deve atravessá-lo.

Mais tarde, apertando em seus braços o corpo de sua jovem mulher, Maxime se violentará para não segurar nas mãos os cachos de Tania, para não morder a sua boca.

Maxime e Hannah são marido e mulher há alguns meses. De vez em quando, Maxime pensa em Tania, que ele não reviu desde o dia do seu casamento, mas Hannah é suficiente para preencher a sua vida. Ele trabalha na loja do pai, sua mulher se junta a ele às segundas-feiras, dia de afluência em que os vendedores a varejo vêm se abastecer. No resto do tempo, ela vê o ventre crescer. A criança que eles desejam chegará na primavera. Eles moram num apartamento pequeno da avenida Gambetta, cuja varanda fica acima do Père-Lachaise. Todos os domingos Hannah acompanha Maxime ao estádio, revela-se uma parceria razoável no tênis. No resto do tempo, instala-se no gramado para ler ou tricotar à sombra das grandes árvores.

Simon vem ao mundo no início da primavera, vigoroso, berrando a plenos pulmões. Seu segundo nome é Joseph. Quando o médico suspende o bebê pelos polegares para testar os primeiros reflexos, Maxime imagina o filho nas argolas. Quer se reconhecer na linha de suas sobrancelhas, no seu queixo protuberante. Uma nova vida começa para os três. Simon se desenvolve perfeitamente, dorme bem, demonstra um apetite feroz, sorri a todos. Faltam-lhe oito anos de vida.

Alguns meses mais tarde, Robert e Tania fazem uma visita. Antes da sua chegada, Maxime fica ansioso, mas logo se tranquiliza: sempre deslumbrante, Tania se mostra natural com ele, maravilhando-se diante do recém-nascido. Uma tarde passada em sua companhia ao lado do berço de Simon é suficiente para tirá-la dessa imagem ideal. Seu filho o monopoliza, e o resto passa para segundo plano. Hannah ri junto ao irmão que implica com ela, Robert parece feliz, com frequência segura Tania pela cintura, que Maxime observa não estar arredondada.

No domingo, Hannah instala Simon num cesto, à sombra de um castanheiro, entre as quadras de tênis e o ginásio. De vez em quando, luzindo de suor, com uma toalha em volta do pescoço, Maxime acaricia a bochecha do filho, beija a mulher e depois desaparece. Aguarda com impaciência o momento de iniciar Simon em todas essas disciplinas, de levá-lo para o tapete de luta, segurá-lo pela cintura para pendurá-lo na barra fixa.

Simon também conheceu a loja da rua do Bourg-l'Abbé. Trepou na escada, correu no corredor do imóvel, explorou o estoque. Sem dúvida, como eu, construiu abrigos com as caixas vazias, que se amontoavam em cada cômodo. Brincou de tomar conta do caixa, ajudou a servir os clientes, gestos que repeti sem saber. No consultório de Louise, sentado diante do mesmo chocolate, contou suas preocupações e seus sonhos. Mas tinha preocupações? Ao contrário de mim, não sofria de um corpo que o trairia sem cessar, nem se iludia, pois lia a admiração nos olhos do pai.

Até que a ameaça batesse à porta do apartamento da avenida Gambetta, os primeiros anos de Simon se desenrolaram sem inquietações. Louise me depôs como testemunha, dando carne ao pequeno fantasma.

A sombra da guerra se aproxima. Maxime e Hannah vivem ao ritmo dos acontecimentos que transtornam a Europa. Joseph mantém o ouvido colado ao rádio, lê todos os jornais. Os vexames pelos quais passou na Romênia o levaram ao exílio e, mais do que os outros, ele está atento à onda negra que se estende do outro lado das fronteiras. Maxime lhe repete ininterruptamente: eles estão na França, pátria da liberdade, nada semelhante pode lhes acontecer. Não gosta desse rasgo de medo nos olhos de Joseph, para ele é insuportável ver seus ombros se curvarem, e acontece-lhe de ser brusco com o pai, de zombar de suas inquietudes.

*

Evidentemente Simon é mantido distante dessas discussões, os fantasmas são afastados dele. Ele é amado, cercado de solicitude. O mundo o assegura de sua proteção, os passantes lhe sorriem, como um universo assim poderia balançar, tornar-se hostil? Como esses adultos benevolentes poderiam um dia se tornar seus perseguidores, empurrá-lo, precipitá-lo num vagão cheio de palha, separá-lo de Hannah? Os jornais dão conta das missas cantadas que se desenrolam do outro lado das fronteiras, as revistas publicam fotos delas. E quando, por cima dos ombros dos pais, ele olha esses alinhamentos impecáveis, essas tocheiras, esses estandartes batendo acima de multidões fardadas, deslumbrado, abre bem os olhos.

Dia após dia, ao longo de nossos encontros, Louise virava para mim as páginas de um livro que eu nunca tinha folheado. Eu entrava com ela na tormenta que meus pais tinham atravessado na sua companhia. Ela enchia seu copo até a borda com licor, tragava cada cigarro até queimar os dedos. Quando a campainha anunciava a chegada de um cliente, ela suspirava, levantava-se com pesar e me pedia para esperar. Despachava suas consultas e se juntava a mim para retomar o fio da sua narrativa, que iria alimentar a minha.

A Áustria é anexada, a Polônia invadida, a França entra em guerra. As páginas se sucedem ininterruptamente: vitória da Alemanha nazista, assinatura do armistício, instauração do regime de Vichy. Nomes ressoam, gritados nas ruas pelos vendedores de jornais, rostos são expostos, a quem a França irá confiar um destino. Vemos desfilar carruagens, tropas de conquistadores descerem a passo rígido os Champs-Elysées. No terraço do Trocadéro, um homem em uniforme de cerimônia, as mãos nas costas, contempla a torre Eiffel com um olhar de proprietário. O mal se propaga, em alguns meses os valores se invertem e as figuras até então familiares se tornam a encarnação do perigo. Os que garantiam a segurança, regulavam o trânsito e carimbavam os documentos oficiais se tornam os auxiliares zelosos de um projeto implacável, funcionários cuja simples assinatura pode alterar um destino. O inimigo não é mais reconhecível apenas pelos uniformes verdetes, pelas longas capas, mas também pode se esconder sob as mangas de lustrina dos empregados da prefeitura, sob o capote dos sargentos municipais, sob a autoridade de legisladores e mesmo no olhar amigável dos vizinhos. O enorme bonde que transportava os citadinos ao trabalho, que depositava seus viajantes na frente de jardins e cinemas, ficará pesado com cargas de homens e mulheres com suas trouxas. O carro de passeio que levava famílias felizes pelas estradas das férias para agora de madrugada diante dos pórticos dos imóveis para semear o terror.

Um dia, Maxime encontra Joseph apoiado no balcão, o rosto desfigurado. Gaston, o gerente da loja, acaba de acompanhar Timo, o funcionário iugoslavo do atacadista do imóvel vizinho, ao ginásio Japy, onde o jovem devia responder a uma convocação. Gaston voltou sozinho, encarregado de levar ao amigo objetos de primeira necessidade. Correm murmúrios sobre essas primeiras prisões, os infelizes ficariam retidos nesses locais transformados em centros de ajuntamento. Joseph vê nisso os primeiros sinais de uma perseguição que irá se generalizar. Ele o sabe, disse-o a todos que quiseram ouvir: aquilo do que fugiu na Romênia vai se repetir. Já na Alemanha a Noite de Cristal, depois a instauração do estatuto dos judeus fizeram com que ele vislumbrasse o pior, mas ninguém quer escutá-lo. No bairro, fala-se de saques que se generalizam. Maxime tenta mais uma vez tranquilizar o pai: não é por causa de suas origens judias que Timo é perturbado, mas em razão de seu estatuto de estrangeiro. Sabe-se pelos jornais e as rádios que a política de depuração visa a expulsar todos aqueles que não foram naturalizados. Joseph e sua família são franceses há várias décadas, o que teriam a temer?

Maxime faz ouvidos de mercador. A inquietação dos vizinhos o irrita, ele não gosta desses olhos lacrimosos, essas mãos que se torcem, recebe friamente esses timoratos, às vezes os dispensa brutalmente. Ainda quer acreditar no impossível; como muitos outros, ouviu a história dos raptos de madrugada, está sabendo das operações organizadas para limpar o país dos elementos indesejáveis. Mas insiste em acreditar que essas medidas visam aos poloneses, húngaros, tchecos, apátridas, refugiados há pouco, com um francês ruim, ortodoxos que não mudaram nada do seu modo de vida e criaram um verdadeiro enclave no coração de Paris.

Ele não ignora, contudo, que a ameaça se aproxima, tomando o rosto daquele que a Alemanha ergueu ao poder. Ele não pode se desfazer da imagem do fantoche sinistro cujas vociferações lhe deixaram odiosa uma língua que até então o embalara com seus lieder, suas óperas, o alimentara com a sua literatura e a sua filosofia.

As páginas correm cada vez mais rapidamente, suas imagens ganham em precisão. Veem-se filas de espera, donas de casa que aguardam uma manhã inteira para pagar a preço de ouro uma carne de última categoria, alguns legumes até lá desprezados e pão, que será preciso fatiar da forma mais fina possível. Mas sobretudo elas dão razão às previsões mais pessimistas de Joseph enquanto mostram homens que recolhem embrulhos atados às pressas e se amontoam em ônibus sob o controle da polícia francesa.

Mais tarde, essas mesmas imagens em preto e branco projetarão aos olhos dos incrédulos as portas de vagões plúmbeos, o nevoeiro de estações de trem que não seriam jamais esquecidos.

Maxime se recusou a comparecer à delegacia para colocar em seus documentos de identidade o carimbo vermelho infamante. Essa decisão é motivo de conflitos no seio da família. Esther e Georges obedeceram ao chamado, Elise e Marcel ainda resistem, Joseph aguarda a decisão do filho, todos debatem o assunto em discussões enfurecidas. Trabalhar os músculos se torna um desafio à covardia e à submissão: Maxime treina com nova energia. Nunca alcançou tantas vitórias, triunfou de seus adversários com tão pouco esforço. Queria cobrir o peito de medalhas, subir no degrau mais alto do pódio. Leva Hannah e Simon ao estádio todos os domingos, o menino é o orgulho do pai, sua silhueta delineada faz maravilhas nos encadeamentos, equilíbrios e saltos mortais. Em breve, ele se lançará à ginástica olímpica e se iniciará na luta.

Mais jovem que Maxime, Robert foi mobilizado para o front do leste. Tania se encarregou da sucursal de Lyon o máximo de tempo possível, mas as dificuldades provocadas pela lentidão do abastecimento e pelo fechamento das fábricas a obrigaram a colocar a chave embaixo da porta. Voltou a Paris para se hospedar novamente na rua Berthe, na casa da mãe. Seu isolamento a levou a se aproximar da família do marido, e ela vê Maxime e Hannah regularmente. As preocupações em Lyon, a angústia sentida todos os dias no momento de pegar o correio, tudo isso deixou marcas em seu rosto. Com os traços abatidos, ela cuida menos da aparência, mas nos meandros de um sorriso, por meio de um gesto, Maxime reencontra diante dela seu deslumbramento de outrora.

Num domingo, Louise, Georges, Esther e Tania acompanham Simon e seus pais à Alsaciana para apreciar seus progressos. Eles vão almoçar no litoral de Marne, vão se regalar de fritura e vinho branco, à tarde Simon fará uma demonstração de seus talentos, Tania, se quiser, poderá retomar sua prática. Quando, depois do almoço, ela aparece, delineada em seu maiô preto, Maxime toma consciência do verdadeiro motivo do seu convite: contemplá-la com esse traje. Ele reencontra no fundo da garganta a sensação dolorosa que acreditava ter esquecido, transtornado novamente por essa visão, como no dia do seu casamento. Do alto da plataforma de saltos Tania se precipita, descreve uma trajetória perfeita antes de desaparecer sob a superfície de água. Maxime não pode desgrudar os olhos da linha desses ombros, dessa cintura, dessas pernas esculpidas.

Hannah aplaude antes de procurar o olhar cúmplice de Maxime, no qual só vê Tania. Conhece suficientemente o marido para ler em seus olhos um desejo louco, uma fascinação que ele sequer pensa em esconder. Ele nunca a olhou assim. Ela se vira para Esther e Georges: todos esses olhos brilham por Tania com o mesmo fervor. Ela só encontra apoio do olhar de Louise, que entendeu e tenta tranquilizá-la com um sorriso. Ela vacila, num nevoeiro escuta os bravos que saúdam uma nova proeza de Tania. Esta sai resplandecente da piscina, sacode sua longa cabeleira, e Hannah é tomada pela imagem de casal ideal que impõem os dois esportistas. Eles estão no seu território, o estádio lhes pertence, eles brilham. Georges e Esther têm o mesmo pensamento, ela está certa disso. Seu temperamento nunca a levou ao combate, logo ela queria desaparecer, se apagar para lhes deixar lugar. O dia escurece, ela vai passar o resto da tarde ao pé de Simon, beijando-o, apertando-o nos braços, mais próxima do que nunca do filho.

Esther e Tania, tendo se tornado cúmplices, alegravam com seus risos os jantares de domingo, afastando as ameaças. Hannah se apaga na sombra dessas duas mulheres com as quais não pode tentar rivalizar. Desaparece atrás do bom humor e do falatório incessante de Esther, submete-se à beleza triunfante de Tania e, vencida, refugia-se perto de Simon.

O cotidiano deles está limitado pelas privações, mas iluminado por esses raios de luz, esses jantares organizados por Esther com o pouco de que dispõe. Toda uma mesa reunida que se proíbe, pelo tempo de uma noite, de evocar os rigores da época e deixa os fantasmas atrás da porta.

O uso da estrela se tornou obrigatório. Uma bofetada para Maxime, que não pode objetar mais nada com aqueles que tentou tranquilizar. As inquietações de Joseph e os temores dos comerciantes vizinhos tinham fundamento. A perspectiva de exibir a insígnia amarela anula todos os seus esforços, o une à força a uma comunidade da qual ele gostaria de ganhar distância. Pior, o inimigo não é mais o invasor, mas seu próprio país, que o coloca do lado dos desterrados. Ele decide desobedecer uma vez mais, esse farrapo não virá sujar seus trajes caros, nem humilhar a sua família. A tensão com os familiares se torna elétrica, Georges o recrimina pelo que ele considera uma blasfêmia, Esther e ele usarão a estrela com orgulho, por que deveriam ter vergonha? Cada discussão é motivo para uma nova exaltação, Joseph mal ousa se dirigir ao filho, às vezes tenta fazê-lo entender que sua decisão coloca sua mulher e Simon em risco. Maxime varre com cólera esses argumentos: nada o designa aos olhos do inimigo, por que deveriam se preocupar? Por acaso ele tem o nariz aquilino, os dedos curvos, o queixo fugidio que os cartazes da terrível exposição do palácio Berlitz propunham aos parisienses para permitir-lhes reconhecer os inimigos da França?

Louise obedeceu, costurou a insígnia no peito. Não teve força para se esquivar, mas a estrela lhe pesa, mais ainda do que a sola espessa do seu sapato ortopédico. Maxime passa para vê-la todos os dias, conversa com ela, preocupa-se com a sua opinião sobre a situação. Queria recriminar a sua capitulação, mas o rosto abatido da amiga o dissuade. Ele não pode mais recuar, o lutador sabe até que ponto um segundo de hesitação, um olhar que fraqueja, um gesto incerto podem dar vantagens ao adversário. Essa medida é talvez o sinal que ele esperava. Precisa ultrapassar a linha de demarcação, com Hannah e Simon. Falará disso diversas vezes com Louise. De início, ela tentará dissuadi-lo, amedrontada pelo perigo, mas diante da sua determinação lhe proporá uma solução: uma de suas primas trabalha na prefeitura de Saint-Gaultier, uma pequena comuna de Indre. Ela vai encontrá-la para organizarem, juntas, o acolhimento dos outros.

Maxime está persuadido de que a passagem para a zona livre continua sendo a única saída possível. No domingo seguinte, organiza na casa de Georges um conselho de família a fim de colher a opinião de todos. Elise, protegida pelo patronímico de Marcel, quer permanecer em Paris, as reuniões com seus amigos políticos são uma necessidade para ela, que vai participar da organização de uma rede de resistência. Georges e Esther se dizem prontos, por razões diferentes: ele não suporta mais as privações; ela está seduzida pelo aspecto romanesco da aventura. Ambos pensam, contudo, que seria prudente enviar os homens, que são os mais ameaçados, em primeiro lugar. Uma vez em segurança, eles poderão dar o sinal aos outros. Simon fará parte da segunda viagem, com a mãe. Tania não quer abandonar Martha, que sofreria por se saber longe dela. As mulheres poderiam assegurar a vigilância da loja, depois, acompanhadas de Louise, também tomariam a estrada de Saint-Gaultier. Todo mundo resolve adiar por uma semana a decisão final.

Simon, durante esse tempo, é sensível às inquietações desses olhares? Surpreende conversas, escuta falar de partida, sem dúvida sente a confusão do pai, a angústia da mãe. Mas continua sendo o verdadeiro centro dessa constelação. Como Maxime, ele sabe obter com um sorriso aquilo que deseja, a vida lhe pertence. No bairro, cruza com vizinhos, desconhecidos com essa estrela no coração, que ele também gostaria de usar. Talvez até tenha pedido a Hannah para costurá-la em seu colete a fim de exibi-la orgulhosamente, como as medalhas do pai.

Tania reencontrou na rua Berthe seu quarto de menina, as atividades de costureira da mãe garantem a ambas um mínimo de conforto. Ela se acostumou com a situação. Robert não está mais no centro de suas preocupações, suas mãos não tremem mais quando vão buscar o correio. Ela recebeu algumas cartas otimistas: ele não reclama, tem a sorte de não se encontrar no centro dos combates mais violentos, assegura-a de seu amor e diz que terão um filho no seu retorno.

Esses anos em Lyon confinaram Tania entre a loja de artigos de cama e o apartamentinho do primeiro andar. Só as idas à piscina trouxeram um pouco de luz a essa existência. Robert se mostrou um companheiro atencioso, mas sua imaginação não bastou para romper a monotonia da vida provinciana. A personalidade infantil do marido começou a lhe pesar, sua obediência cega aos desejos dos pais se tornou insuportável: a submissão de

Robert lhe custara essa partida para Lyon, e ela não podia perdoar os sogros por tê-los exilado assim. Sentiu saudades de Martha nesse período de ameaça e teria dado de tudo para reencontrar a mãe, o ateliê da rua Berthe e a animação da colina de Montmartre.

De volta a Paris, reata com a família. Aprecia os jantares de domingo à noite na casa de Georges e Esther. Sua cunhada se tornou uma amiga, uma confidente. Reviu Hannah, a irmã de Robert, com alegria, conheceu seu marido e seu filho Simon, esse menininho autoritário e encantador, tão parecido com o pai.

Não pode negar uma atração por Maxime, cuja aparência a seduziu desde o primeiro encontro. Mas o olhar insistente que ele lhe direcionou no próprio dia do seu casamento a aterrorizou. Ela o intui acostumado com as conquistas fáceis, seguro de seu charme, um desses homens para quem as mulheres são simples presas.

Robert, orgulhoso de ter se casado com uma mulher para a qual todos olham, não cessou de manifestar por ela uma gulodice de menino. No início de suas vidas em Lyon, às vezes eles desciam para a loja à noitinha e se amavam numa dessas camas expostas. Robert fazia a sua escolha: rústica, *grand siècle* ou contemporânea, todos os estilos de quarto de dormir eram propostos no hall de exposição, promessas de prazeres diferentes. As venezianas das vitrines abaixadas durante a noite deixavam filtrar o clarão dos refletores e, nos braços do marido, Tania se sobressaltava a cada estalo de sapato na rua.

Maxime ocupa seus pensamentos mais do que ela gostaria. Embora tenha lutado contra isso, sua imagem a persegue, imagem perturbadora de um homem que ela não ama. Todas as vezes em que o encontra, na companhia de Hannah e de Simon, pensa novamente no seu olhar. Em qualquer outra circunstância o teria considerado como um simples galanteio, mas no dia do seu casamento! Não disse nada a Robert, nem a Esther, e se culpabiliza por esse silêncio, como se ele selasse um pacto entre ela e Maxime, esse homem que ela poderia desprezar, mas que deseja. Pela primeira vez experimenta uma atração que não vem acompanhada nem de estima nem de ternura. Visões muito precisas a assaltam, o bronzeado de seu pescoço sobressaindo da brancura da camisa, a linha dos seus ombros, as veias protuberantes de seus antebraços. Ela se deixa levar, imaginando seu cheiro, o peso do seu corpo, seu sexo, os músculos da sua bunda.

 Ela sempre ditou as regras do jogo com Robert, rindo de sua impaciência, brincando com o seu desejo. Por Maxime, ela já se sente dominada: uma sensação desconhecida, uma tensão incômoda. Para se desembaraçar disso, retoma o desenho. Abre novamente seus cadernos de croqui e, página após página, toma posse desse corpo, sublinha seus contornos, extrai suas linhas de força. O resultado a surpreende: o contrário das silhuetas fluidas que ela propunha todas as semanas ao jornal. Graças a Maxime, ela descobre um estilo, um vigor no traço que não conhecia. Essa atividade a tranquiliza, ela se isola no quarto durante longas horas, o lápis na mão, e depois, como uma criança culpada, esconde seus esboços no fundo de uma gaveta.

No início do verão, abre-se uma nova perspectiva. A loja de Lyon se tornou uma despesa inútil, o risco de uma espoliação se delimita. Um comprador se apresentou, será que ela poderia se encarregar dessa missão, encontrá-lo e discutir com ele as condições? A sogra, sentida com a partida do filho, não tem força para empreender a viagem. Um de seus amigos que trabalha na prefeitura poderia lhe conferir os documentos necessários, ela retomaria seu nome de solteira, de consonância inglesa. Tania hesita, Robert teria obedecido à mãe sem discutir, mas ela quer um tempo para refletir.

Uma ideia a persuade: se os membros da família executassem seu projeto e se refugiassem em Indre, ela poderia se juntar a eles, uma vez seus negócios resolvidos. Viveria esse período difícil perto daqueles que ama, compartilharia a vida de Hannah e Simon, ficaria mais próxima de Esther. Veria Maxime todos os dias.

A decisão está tomada. Louise conseguiu se juntar à prima, que lhe comunicou o endereço de um coronel aposentado que vive com a filha e poderá acolhê-los na sua propriedade nos limites do rio Creuse. Georges e Maxime serão os primeiros a transpor a linha de demarcação e a se estabelecer em Saint-Gaultier. Esther, Hannah, Louise e Simon farão o mesmo assim que possível. Joseph não quer tentar a aventura, ultrapassar de novo uma fronteira lhe parece insuperável, irá viver em Malakoff, na casa de Elise e Marcel.

Encontrar um passador não foi tão difícil quanto eles temiam, os amigos de Elise lhes forneceram um endereço. O homem que se apresentou num café de Belleville inspira confiança, transpôs a linha várias vezes e lhes garante total segurança. Eles têm um encontro marcado num vilarejo ao sul de Montoire, Marcel os levará até lá. Conhecem as condições: uma boa soma a entregar, um mínimo de bagagem, as economias costuradas no forro do casaco, documentos falsos.

Tudo se passa como previsto: uma data, uma hora, o tempo de uma bebida na antessala de um café, depois um passeio sob o luar, no murmúrio de um campo desconhecido. A visão do corpo de guarda em sombras chinesas sob o céu estrelado, a angústia da passagem e enfim a liberdade, o aperto de mão do homem que penetra de novo na escuridão e os abandona nas proximidades de um vilarejo adormecido. A espera da manhã na palha de uma granja e o trajeto em caminhonete até Châteauroux. Enfim, o telefonema ao coronel que vem buscá-los e os conduz à sua casa. Thérèse, sua filha, lhes faz as honras da casa. Eles estão livres, com tempo de se organizar, e logo poderão contatar as mulheres.

Empoleirada num talude que domina o rio Creuse, a cidadezinha se aninha em torno da sua igreja romana. Ela precipita suas vielas em declives íngremes na direção das ribanceiras cobertas de gramas altas. Depois de ter atravessado os pilares de uma ponte cujos arcos refletidos pela corrente desenham círculos perfeitos, o rio se engolfa sob a usina hidroelétrica que transforma suas águas cinza em luz. As ruas do centro da aglomeração alinham casas modestas que não ultrapassam um andar e, na periferia, de cada lado das ribanceiras, algumas propriedades imponentes reinam em parques sombreados. A do coronel pontifica-se no meio de árvores centenárias, é bordejada por uma mureta trespassada por uma porta metálica que dá acesso às ribanceiras. Seu anfitrião mora no térreo com a filha e, no segundo andar quatro quartos estão à disposição deles. Maxime e Georges escolhem os mais espaçosos, que ocuparão com Hannah e Esther; Louise e Simon ficarão com os outros dois.

Tudo lhes pareceu tão fácil que eles nem medem os riscos que correram. Sob os conselhos de Thérèse, Maxime estabelece contato com a escola do vilarejo para propor seus serviços e participar da educação esportiva das crianças. Georges poderia cuidar dos jardins e voltar a pescar, para abastecer Thérèse com esses peixes de rio que enriqueceriam a ração.

Com mais de cinquenta anos, Thérèse, a professora do vilarejo, vive à sombra do único homem da sua vida, seu pai. Dirige a casa com autoridade, vela o regime do coronel como governanta inflexível. Essa mulher sem homem desconfia de Maxime, mas o sedutor acaba por cativá-la. Sensível a seu encanto, ela o testemunha com múltiplas atenções. Fica à sua janela quando ele faz sua ginástica matinal, com o torso nu sobre o gramado. Contempla-o, transtornada, e confia suas inquietações a seu diário.

Hannah se ocupa da loja da rua do Bourg-l'Abbé, ajudada por Joseph. Esther veio se juntar a ela. Louise lhes presta ajuda nos dias de movimento, sua clientela se rarefez, ela só recebe seus pacientes mais fiéis e prefere não saber por que os outros não requisitam mais os seus serviços. As três mulheres se apoiam, fazem confidências, jantam juntas. Receberam uma primeira carta dos homens que lhes tecem louvores de Saint-Gaultier e prometem escrever em breve para lhes dar sinal verde. Simon reina na assembleia, apega-se a essa mãe que não tem mais do que ele. Hannah se sente tão sozinha no apartamento da avenida Gambetta que não encontra coragem para proibir sua cama espaçosa e gelada ao filho. Ele se instala no lugar do pai, a cabeça sobre o travesseiro, o cãozinho de pelúcia apertado contra o peito: todas as noites o pequeno homem volta a ser uma criança medrosa, assustada com os fantasmas do seu quarto. Hannah o observa dormir, emocionada com sua aplicação em achar o sono, reconhece Maxime nessas sobrancelhas franzidas, nesses punhos cerrados. Esse homem é toda a sua vida, está mais certa disso do que nunca. Em alguns dias reencontrará o seu calor, compartilhará novamente suas noites.

Ela que concede tão facilmente a sua confiança, distribui sua afeição à vontade, se culpabiliza por sentir a presença da cunhada como uma ameaça. Desde aquela tarde no estádio seu coração está sempre em alerta. Ela admira Tania, mas essa força viva, essa beleza em liberdade representam um verdadeiro perigo, e ela não pode se impedir de se alegrar com a sua partida para Lyon. Pensa frequentemente em Robert e teme todos os dias o anúncio de uma notícia ruim. Que seu irmãozinho volte e que Tania encontre novamente refúgio ao seu lado. Está orgulhosa de conseguir fazer o comércio funcionar sem a ajuda do marido, feliz de se privar por Simon, de velar por ele com todo o seu amor. Maxime lhe será grato por isso.

Pobre Hannah. Foi a frase que me veio à cabeça quando, mais tarde, descobri suas fotos, emocionado pela sua simplicidade, pelo frescor de seus olhos claros direcionados a Maxime, brilhando de uma confiança absoluta. Esse olhar que iria se apagar, esse sorriso sobre o qual iria se abater o fogo do céu. Até a chegada da segunda carta, ela pôde acreditar que sua partida para essa outra França iria lhe permitir reencontrar a sua felicidade. Mas os muros caíram um de cada vez, esses muros nos quais ela se apoiava todos os dias, tão pouco segura da sua força.

A operação foi mantida em segredo, e desde cedo todo o bairro do *onzième* já estava cercado, em cada entrada de rua, cada boca de metrô, as forças de polícia estão prontas. Batem às portas, surpreendem famílias sonolentas, dão-lhes apenas o tempo de reunir alguns pertences e obrigam-nas a descer rapidamente as escadas, às vezes a pontapés ou coronhadas, para amontoá-las nos ônibus. Para qual destino? As informações são contraditórias, os mais otimistas ouviram falar desse estado judeu que a Alemanha hitlerista pretende criar no Leste, ou ainda em Madagascar, que se tornaria a nova Palestina. Os outros, aqueles que tentam fugir, que se jogam pela janela ou apressadamente confiam os filhos aos vizinhos, não concederam nenhum crédito a essa fábula. Eles sabem que existem do outro lado das fronteiras lugares de onde não se volta. Assim que chega à rua do Bourg-l'Abbé, Hannah ouve de Esther a notícia que deu a volta em todas as lojas do bairro: o maior saque organizado desde o início da Ocupação acaba de acontecer. Ela se precipita para o bulevar Richard-Lenoir e logo entende tudo, ao ver a loja fechada, assim como o apartamento. Selos judiciais foram lacrados nas portas, os vizinhos lhe confirmam a partida de seus pais, na alvorada, com as centenas de outros habitantes do bairro, recenseados ou denunciados.

O primeiro muro acaba de cair. Hannah vacila, retorna à loja e se joga nos braços de Louise e Esther. Em meio às lágrimas, chama por Maxime, como uma menina perdida.

Quando a segunda carta chega de Indre, Hannah retoma a esperança. Os homens lhes anunciam que tudo está pronto para acolhê-las, as margens do rio Creuse lhe farão esquecer ameaças e privações. Ela decifra com dificuldade a letra espremida de Maxime, até alcançar as duas linhas que a atingem em pleno coração. A carta tão esperada lhe cai das mãos: Tania acaba de se juntar aos cunhados, veio de Lyon e se instalou ao lado deles há alguns dias. Quando elas estiverem em Saint-Gaultier com Simon, a família estará quase completa, Maxime lhe anuncia essa boa-nova com alegria.

O segundo muro desaba, com estrondo. Hannah deixou a proteção da família para se refugiar sob a asa de Maxime, sem ele, ela não é mais nada. Acredita perder a razão. Seus pais a abandonaram, está na vez do marido, de repente ela tem certeza disso. Sabe por que a cunhada fez essa viagem, não precisa de nenhuma prova, seu instinto não pode enganá-la. No fundo de si mesma, uma certeza fizera seu ninho: nada poderia impedir esses dois de se encontrar. Tania está lá, perto de Maxime. Tudo balança, a vida se torna insuportável. Esther e Louise a veem desfalecer, suas pernas não a sustentam mais, lívida, ela se segura num balcão. Ao ler a carta, ambas entendem. Esther fica transtornada pela dor de Hannah, queria poder lhe dizer a que ponto se sente culpada. Foi ela quem forneceu a Tania o endereço do coronel, logo antes da sua partida para Lyon.

Elas decidem apressar a viagem. Gaston, o gerente da loja, lhes conferiu os documentos falsos dos quais precisavam, elas sabem o endereço do passador, em alguns dias estarão em Saint-Gaultier. Hannah as deixa organizar tudo, fechar a loja, o consultório de Louise. Não reage mais, é preciso pegá-la pela mão, escolher para ela os objetos de primeira necessidade, preparar a bagagem de Simon. Na véspera da partida, de uma hora para a outra ela recusa partir, quer ficar em Paris com o filho, deve esperar o retorno dos pais, se Robert voltar ferido precisará tomar conta dele. Seus olhos divagam, ela quase delira, é preciso toda a energia de Louise e de Esther para convencê-la. Sob sua autoridade, termina aceitando a partida, mas se refugia num mutismo total.

Marcel se encarrega de levá-los para perto de Montoire e deixá-los no lugar do encontro com o passador. Simon, excitado com a aventura, devora com os olhos a paisagem do outro lado do vidro do Citroën, interpela a mãe, que mal o olha. Louise e Esther também se calam, com a angústia multiplicada pelo comportamento de Hannah, elas não tentam nenhum gesto afetuoso por medo de provocar seu choro. Até a chegada ao café, não se ouvirá a sua voz. Um pouco mais tarde, ela falará, pela primeira vez depois da partida de Paris. Então, pronunciará uma frase, uma única, que condenará Simon.

Cedendo à minha insistência, Louise me contou o que ficaria para sempre gravado na sua memória. Ela me dissera tudo a respeito do drama, tudo o que meus pais lhe haviam confiado, tudo o que ela vivera em sua companhia. Tudo exceto o essencial. Um segredo permanecia: a família queria acreditar na inacreditável imprudência de Hannah que provocara a sua perda, desencadeando a de Simon. Diante da minha insistência, minha velha amiga acabou me confessando o que tinha acontecido de fato naquela noite no café, bem perto do corpo de guarda. Hannah, a tímida, a mãe perfeita, se transformou em heroína trágica, a frágil jovem de repente se tornou uma Medeia, sacrificando o filho e a própria vida no altar do seu amor ferido.

Esther e Louise se instalaram numa mesa, ao lado do bar. Hannah e Simon um pouco mais longe, perto da janela. A sala está vazia, eles são os únicos clientes do café, escuta-se o tique-taque de um grande relógio de pé, o patrão limpa seu balcão, conversando com o passador. Tudo parece tão calmo, um antegozo dessa liberdade que os aguarda a apenas alguns quilômetros. O homem os aconselhou a se separarem para que o grupo não chame a atenção. Depois de ter arrumado as bagagens no exterior, num alpendre, foi buscar bebida para eles. Descobriu os horários das trocas de guarda, sabe em que momento a atenção dos vigias relaxará. Disse-lhes que seria preciso agir rápido, recuperar as malas e correr na escuridão de um pequeno caminho do qual conhece cada pedra. Prevenido de que iria andar de noite no campo, Simon aperta seu cãozinho contra si e bebe a limonada que o homem lhe serviu. Hannah não toca em sua xícara, fixa o olhar no céu estrelado do outro lado da janela e, de vez em quando, como que ausente, acaricia o cabelo do filho. Esther e Louise a olham de longe, com ansiedade. Simon pede para ir ao banheiro, indicam-lhe o caminho, Hannah quer se levantar para acompanhá-lo, mas ele lhe diz com um gesto que é bem grande para se virar sozinho. Na passagem, confia seu cãozinho a Louise. Ela sorri, olhando se distanciar rumo ao fundo do salão o homenzinho autoritário e encantador.

De repente, escuta-se ranger os freios de um automóvel. Ouvem-se passos na noite e a porta do restaurante se abre para três oficiais em uniforme. Louise e Esther se sentem empalidecer, instintivamente Louise esconde o cãozinho embaixo da mesa, depois leva a mão ao peito para se assegurar de que não sobrou nenhum fio da estrela descosida. Hannah não reage à entrada dos homens. As costas do passador se contraem, apoiado no bar, ele leva o copo aos lábios e fixa o olhar na fileira de garrafas. Dois dos homens ficam de sentinela perto da porta, o terceiro se dirige a Louise e Esther e lhes pede seus documentos. Elas controlam o tremor das mãos, tiram suas carteiras de identidade do bolso. No momento em que Louise se levanta, a espessa sola do seu sapato ortopédico bate no pé da cadeira. O homem diz algo em alemão aos dois colegas que lhe respondem rindo. O dono do café tenta fazer uma brincadeira, o passador se força a sorrir. O oficial não reage e mergulha o olhar nos olhos das duas mulheres depois de ter contemplado suas fotografias. Devolve-lhes os documentos, controla o do passador, depois se dirige a Hannah, que não se virou da janela. Uma vez perto dela, ele estende a mão autoritária e a jovem planta seus olhos nos dele. Louise e Esther prendem a respiração, veem-na revirar a bolsa, con templar seus documentos, colocá-los em evidência sobre a mesa antes de tirar outros, que ela estende ao homem, sem desprender o olhar.

Perturbado, o oficial levanta as sobrancelhas. Assim que dá uma olhada no documento, late uma ordem. Esther e Louise, paralisadas, entendem o que acaba de acontecer. Ouvem-se então uns passos no piso da sala, Simon acaba de sair do banheiro e se precipita na direção da mãe. Louise queria lhe fazer sinal para se calar, dirigir-se para ela, mas é tarde demais. O homem interroga Hannah com o olhar. Sem hesitar, com uma voz calma, ela responde: "É meu filho."

Hannah e Simon deixam o café, enquadrados pelos três homens. Tudo aconteceu em alguns segundos. Hannah já está longe, o olhar perdido. Simon segue a mãe e contorna a mesa das duas mulheres sem lhes endereçar a palavra. Quando eles passam, Louise se ergue, mas uma mão firme sobre seu ombro lhe obriga a se sentar de volta: a do passador, que a fulmina com o olhar. Os oficiais não viram nada, a porta se fecha na noite escura, eles escutam o arranco do carro e o silêncio se faz novamente. Esther e Louise desmoronam, mas o passador não lhes deixa tempo para refletir, ele está pálido, a testa luzindo de suor: é agora ou nunca. É preciso partir, recolher a bagagem no alpendre e tomar o caminho que leva à liberdade, elas se encarregaram das bolsas da mãe e da criança. Ao se levantar, Louise esbarra num objeto embaixo da mesa: o cão de Simon. O menino foi embora sem seu companheiro, entregá-lo as teria condenado, de qualquer maneira ela nem pensou nisso. Pressiona-o contra o rosto, molha-o com as suas lágrimas.

O homem as empurra, as faz sair com pressa. Esther dá medo de ver, o traço de lápis cinza que sublinha seus olhos escorreu, desenha nela olheiras esverdeadas, sua espessa cabeleira ruiva acentua a sua palidez. A noite está fresca apesar da estação, o céu constelado de estrelas. Louise aperta o cãozinho contra o peito, e pensa que Simon teve razão em protegê-lo com o casaco tricotado por Hannah.

Uma hora depois elas estão em zona livre. O campo está agitado de murmúrios, as plantas ondulam com a passagem dos gatos, escuta-se o pio de uma ave de rapina. Elas avançam numa estrada deserta, banhada pela claridade da lua, procurando um abrigo para aguardar o nascer do dia. Louise imagina o quadro lamentoso que devem oferecer suas duas silhuetas: um fantasma lívido com a maquiagem escorrendo, que abafa soluços, e uma pobre judia coxa, uma bolsa em cada mão, um cão de pelúcia apertado sob o braço. Do outro lado da linha, um carro corre na noite, varrendo com seus faróis a estrada hostil. Para que pesadelo ele conduz seus passageiros, uma mulher desvairada e um menino que, com seu olho inquieto, tenta desvendar a escuridão? Louise e Esther dividem o mesmo pensamento: elas fracassaram na missão que lhes foi confiada. Como poderão enfrentar a chegada a Saint-Gaultier, anunciar a notícia aos homens que as esperam?

Quando Tania aparece por trás das grades da propriedade, Maxime corta com um machado o tronco de uma árvore arrancada pelo vento. Encontrou seu ritmo, assegura seu gesto e a lâmina crava cada vez mais profundamente na ferida. Essa atividade ocupa seu espírito, mobiliza seus músculos inativos há muito tempo. Georges ainda não voltou da pesca, está instalado à beira do rio, ao abrigo de um salgueiro. Seu balde está repleto de peixes, ele imagina sua chegada na cozinha, a alegria de Thérèse quando vir sua façanha. A filha do coronel lê no terraço, estirada num canapé, embalada pela colisão regular do machado. De vez em quando, acaricia com os olhos o homem com os braços de fora, admira seu esforço, estimula-o com a voz.

É ela quem vê Tania primeiro. Sobressalta-se, surpreendida pela beleza da jovem que se mantém imóvel do outro lado da mureta, uma bolsa de viagem na mão. Uma silhueta perfeita, com um vestidinho cinza de ombros retos, a medida marcada. Sente um aperto no coração, essa presença radiosa anuncia uma tristeza, tem certeza disso. Os dois homens lhe falaram dela, e ela a reconheceu, antes mesmo que Maxime levante a cabeça para vislumbrá-la por sua vez. Ele se sobressalta, abandona o machado plantado no tronco da árvore, enxuga a testa. Eles se encaram, Maxime está de pé, os braços balançando, a alguns metros de Tania, ainda imóvel atrás das grades. Quando Thérèse surpreende seu olhar, ela entende. Uma nuvem atravessa o céu e vem encobrir o sol dessa tarde.

Tania se instalará no quarto destinado a Simon, que dispõe de dois beliches. Maxime e Georges se apressam na direção da cunhada, mostram-lhe o vilarejo, levam-na para admirar a igreja e o priorado, acompanham-na nas margens do rio Creuse.

Pouco depois da sua chegada, ela tenta ligar para os sogros, sem sucesso. Imagina a campainha do telefone ressoando na sala deserta, rompendo um silêncio de morte. Envia um telegrama a Martha, para tranquilizá-la, mas não quer pensar em Robert. Como uma menina obstinada, cedeu a um capricho, está enfim ao pé do homem que deseja. Ele a atrai mais do que nunca, ela luta contra a tentação de se refugiar em seu torso, de colar a sua boca na dele. Nada tem importância fora essa força que a toma inteiramente.

Dia após dia, os olhos de Maxime se fazem mais insistentes, ela lhes responde, se deixa invadir por essas ondas de desejo. Ainda pode se entregar a esse jogo perturbador, a chegada de Hannah e Simon porá um fim nisso. Cada vez que se abandona ao olhar claro de Maxime, sabe-se observada por Thérèse: a professora reage como uma criança ciumenta.

Transtornado por Tania, Maxime se revira na cama todas as noites sem fim, obcecado pela imagem da jovem que dorme no quarto vizinho, a cabeleira derramada no travesseiro, a pele bronzeada sobressaindo da palidez dos lençóis.

Assim que chegaram, Esther e Louise desabaram nos braços de Maxime e de Georges. Louise me dirá que nem uma nem outra tiveram a coragem de evocar o gesto suicida de Hannah, e escolheram falar de uma imprudência, um esquecimento.

Como a vida iria se organizar em torno da ausência de Hannah e de Simon, deixando cada um tomado por imagens insustentáveis? Maxime se refugiou no quarto, onde permaneceu por longas horas, sentado na beirada da cama, a cabeça entre as mãos. Num canto, atrás da poltrona, repousavam as bolsas trazidas por Louise e Esther, elas ficariam fechadas sobre suas lembranças. Deitado em cima da bolsa de Simon, o cãozinho com casaco de tricô velava os pertences do dono. Maxime não pôde suportar a sua presença, e pediu que o afastassem dele. O filho e a mulher nas mãos do inimigo, sem dúvida trancados com outros milhares num desses recintos onde o ódio se exprime sem moderação.

Eu tentava imaginar os sentimentos da minha mãe diante da notícia: o inimigo de cuja ameaça ela havia fugido se tornava um aliado, varrendo o único obstáculo que se colocava entre ela e meu pai. Tudo se tornava possível, se Hannah e Simon não deviam voltar.

Em Saint-Gaultier todos tentam se tranquilizar, querem acreditar que a mãe e a criança estão detidos numa dessas localidades cujo nome ficará sujo para sempre: Drancy, Pithiviers, Beaune-la-Rolande. Nesses lugares, sofre-se da promiscuidade, falta tudo, mas como imaginar que se possa morrer lá? Só o coronel o sabe, sua troca com as redes de resistência, as informações que lhe enviam seus contatos americanos lhe fizeram descobrir a existência de um mal absoluto do outro lado das fronteiras. Ele não falou disso com nenhum de seus hóspedes: não quer acrescentar nada à sua inquietação e ainda se recusa a acreditar em tal empreitada de destruição.

Trancado no quarto a maior parte do dia, Maxime traça ao redor de si um círculo de silêncio. Ninguém sabe o que lhe dizer, todos respeitam a sua dor. Na grande residência, as sombras de Hannah e Simon pairam sobre cada um. Acredita-se ouvir a cavalgada do menino na escada, quer-se levá-lo para um banho no rio Creuse. Imagina-se Hannah no terraço, ocupada com o seu bordado, mimando com os olhos o marido e o filho que lutam no gramado do parque. Tania, para se afastar de Maxime, passa os dias na companhia de Esther e de Louise. Elas passeiam pelos caminhos do campo, falam de tudo, exceto de Hannah e Simon. Como Tania ainda poderia brincar com o desejo de Maxime? Ela o evita, abaixa os olhos quando o cruza. A ausência de sua mulher e seu filho ergue entre eles uma barreira intransponível.

Com o passar das semanas, Maxime volta aos poucos à vida, sai do quarto para cortar lenha ao longo do dia ou parte para longas caminhadas. Todos o observam às escondidas, espreitando uma faísca de vida em seu olho apagado. Quando a casa acorda, a mesa já está posta para o café da manhã, sobre a toalha reinam um pão fresco, um pote de geleia: Maxime, de pé desde a alvorada, se ocupou de tudo, depois da sua ginástica matinal. Não pode se demorar na cama, assim que acorda a angústia lhe pesa terrivelmente. A ideia de um desvio pelo quarto de Tania se tornou impossível; ele, que despreza superstições e rituais, não está longe de acreditar num castigo do céu. Todos os dias, passa no correio para telefonar a Paris, e na sua volta ninguém se arrisca a lhe fazer perguntas.

No início da tarde, no auge do calor, Tania coloca um vestido leve por cima do maiô. Desce para o rio, com uma toalha no braço. Nada de uma margem à outra, até não poder mais, perfaz seus mergulhos do pilar da ponte desmoronada. Na água gelada, vê as plantas que ondulam, o tapete pardacento do lodo. Diante de seus olhos desfila uma procissão: restos de vegetação arrastados pela corrente, tragados pelas válvulas da usina. Quando emerge na luz ofuscante, aspira um bocado de ar, sacode os cabelos como que para dissipar um sonho ruim e se lança de novo num nado pertinaz. Esgota o corpo, só sai da água sem fôlego, quando seus músculos não respondem mais.

À noite, no serão, as conversas terminam aos poucos. Maxime é o primeiro a se despedir, escuta-se seu passo pesado subir os degraus, a porta do quarto fechar. Mais tarde, Georges e as mulheres também sobem. Todos, antes de cair no sono, pensam nos dois ausentes, aninhados um contra o outro numa noite povoada de soluços.

Maxime não aguenta mais essas noites passadas à procura de Hannah e Simon. Às vezes, ao pensar na história contada por Louise e Esther, maldiz a loucura da mulher. Como pôde ter esquecido seus verdadeiros documentos no fundo da bolsa? Por sua culpa, talvez ele esteja separado do filho para sempre.

Quando emerge dessas semanas de isolamento, seu primeiro olhar é para Tania. Não quer mais resistir. Numa tarde, quando a casa está calma, acompanha-a até a beira do rio. Sem trocar uma palavra, eles atravessam o parque, cruzam o portal que leva à ribanceira, estendem suas toalhas na grama morna. Tania tira a roupa na frente dele, desliza o vestido e aparece com o maiô preto que usava na Alsaciana. Mergulha logo e começa a sua travessia, batendo na água com um movimento regular. Maxime observa se distanciar a silhueta da nadadora que fende a água cintilante. A meio caminho, ela se interrompe para subir o pilar da ponte e lhe acena. O ar vibra em torno dela, ela afasta os braços, arqueia as costas, ele vê tremerem os músculos de suas coxas antes que ela pegue um impulso e fique suspensa no espaço por um instante. Com a visão dessa flecha negra sobressaindo do branco do céu, seu desejo renasce. O tornilho afrouxa, e ele chora pela primeira vez desde a chegada de Louise e Esther.

Não procura se esconder de Tania, quando ela se ergue na ribanceira, ele lhe oferece a sua dor, os olhos nus. Diante dele, ela fica imóvel, encharcada. Estende a mão molhada, ele a segura e a enterra no rosto. Ela se aproxima dele, ele envolve sua cintura com os braços e apoia a bochecha no estofo do maiô. Toca enfim o corpo de Tania. Depois de ter se estirado tantas vezes em sonho no seu calor, é a pele gelada da nadadora que se oferece a ele. A água do rio se mistura com as suas lágrimas. Eles permanecem assim durante um longo momento, depois se soltam, ainda sem uma palavra. Tania deita ao seu lado, e os dois olham para o céu. A cidade dorme, só o rugido surdo da usina perturba o silêncio. Maxime sabe que não resistirá mais.

Com a chegada da noite, empurra a porta do quarto, entra sem barulho, se enfia entre os lençóis e cola a sua pele na da jovem. A dor o submerge. Sua boca contra a de Tania, no sabor salgado de suas lágrimas, ele se aperta contra ela, sente envolver seus músculos, palpita contra o ventre da jovem. Não ousa nenhuma carícia, mas se engancha em seu corpo, envolvendo-o com seus braços e pernas. Embriaga-se de seu perfume e mergulha num sono sem sonhos. Durante várias noites, dormem assim, apertados um contra o outro, caçando os fantasmas que os cercam. Na alvorada, ele volta para o seu quarto com precauções de colegial. O sedutor se tornou um adolescente transido, buscando a doçura e a ternura de Tania, aproximando-se dela com prudência para se contentar com seus beijos e o contato da sua pele.

Numa noite, por fim, ele se autorizará a tomá-la. O medo de ser ouvido reprimirá seus impulsos. Louise, Esther e Georges estão separados deles apenas por um tabique. Maxime deixará ir e vir sua lombar, mergulhará no mais profundo de Tania até o momento em que, não se aguentando mais, morderá os lábios para não gritar. O esforço para se conter aumentará seu prazer. Ele tem nos braços aquela a quem deseja há anos, mas, a ponto de perder a consciência, é a imagem de Hannah que lhe surge. Então, ele a empurra com todas as suas forças, repelindo seu rosto claro na noite.

Eu estava neste ponto. Graças às revelações de Louise, tinha construído essa narrativa, para chegar a essa noite. Uma noite durante a qual um menino e sua mãe deixavam definitivamente esta terra para entrar no silêncio. Ela selava o destino dos meus pais, e viria me permitir vir ao mundo, alguns anos após a morte de Simon. Eu só poderia nascer com essa condição: seu vigor cedia lugar à minha fragilidade e ele mergulhava na noite para que eu pudesse ver o dia. Era ele ou eu, um roteiro comparável ao dos corpo a corpo noturnos com o irmão imaginário que dividia meu quarto. Seu nome não será mais pronunciado, nem o de Hannah; deles, sobrarão apenas bolsas abandonadas atrás de uma poltrona. Roupas, cheiros, um cão de pelúcia, objetos órfãos, algumas fotos que seriam relegadas à escuridão, e pensamentos culpados, cujo peso eu suportaria.

Em Saint-Gaultier, a tensão é palpável, na sala, na hora do serão, as pessoas da casa observam os amantes à espreita. Nenhum dos hóspedes se deixa iludir por sua aparente indiferença. Esther se contém com dificuldade, queria gritar seu desprezo, cuspir no rosto do casal de quem cada abraço é um insulto à memória dos desaparecidos. Um verdadeiro crime a seus olhos, repetido noite após noite, exilando cada vez um pouco mais Hannah e Simon. Louise tenta acalmá-la, ela própria despedaçada, ao mesmo tempo indignada com a traição de Maxime e levada à indulgência. Perturbada pela beleza inquietante de Tania, aceita o encontro deles como um fato dos céus contra o qual seria vão lutar. Thérèse sofre em silêncio, reencontrou sua desconfiança habitual em relação aos homens. Maxime é igual aos outros, ela não deveria ter duvidado disso, um desses de quem ela se preservou, um macho preocupado apenas com o seu prazer. Seu instinto não a enganou, a chegada de Tania marcou o fim de um período feliz. Ela maltrata o pai, caturra sobre as questões de intendência, tiraniza a casa e se retira tanto quanto possível para o quarto, preenchendo com amargura as páginas do diário. Georges e o coronel julgam severamente o comportamento dos dois amantes, mas consideram essa união inevitável, o único meio de Maxime sobreviver à sua dor.

O que teria acontecido em seguida? Meu pai e minha mãe, culpados aos olhos de todos, dilacerados por seu desejo, teriam ousado se amar à luz do dia, passear de mãos dadas nas margens do rio Creuse, exibir sua ligação aos olhos de sua família? Pouco a pouco sem dúvida, com ínfimos gestos no início, depois se atrevendo com o decorrer do tempo. Eu me perguntava se Esther tinha afrontado minha mãe. Podia imaginar minha tia com perfil de trágica gritando sua indignação no rosto de sua cunhada, cedendo diante de suas lágrimas, caindo em seus braços e colhendo por fim suas confidências.

As semanas tinham passado, os olhares sem dúvida tinham se adocicado, e a vida retomara seu curso, até que o horror trilhasse um caminho através da barreira de tranquilidade que protegia Saint-Gaultier.

O rumor começa a circular na rua, nas lojas, ao acaso das conversas. Não se pode mais se esconder por detrás de um véu, acreditar num simples deslocamento de populações, fala-se agora em exterminação sistemática, em campos de morte. Quando essas informações transpõem o limiar da casa, projetando nas paredes imagens de trens, de arames farpados, como Maxime ainda consegue dormir? Hannah e Simon voltam a assombrar suas noites. Ele não tem mais recursos para acreditar que ambos sejam prisioneiros do outro lado da linha de demarcação, precisa agora encarar o pior.

Foi-me preciso imaginar os dias que se seguiriam, até o fim da guerra. Então se saberia: a deportação dos pais de Hannah depois do grande saque, a morte de Robert num stalag,* vítima do tifo. Um obstáculo a menos no caminho de Maxime e Tania, o rapaz de olhar debochado também fora varrido pela história.

E se conheceria enfim o destino do trem que havia levado Hannah e Simon. Seria mesmo preciso dar um nome a esse lugar, as imagens seriam vistas pela primeira vez. Ficariam para sempre guardadas nas memórias a sombra de um pórtico que se recorta do branco do céu, os trilhos pretos que seguem em direção ao abismo.

---

*Campo de prisioneiros de guerra. (N. do E.)

A família voltou a Paris. A sorte que se encarniçou sobre Hannah e os seus lhes preservou a vida. Tania voltou a viver com Martha. Maxime não pôde suportar a ideia de dormir na rua Gambetta e se instalou numa cama de improviso no primeiro andar da loja. Os dois amantes se impõem essa distância, não ousam mais se tocar. Tornou-se impossível para eles afastar a imagem dos ausentes, amarem-se nesses locais assombrados. É preciso esperar.

Quando Tania fica sabendo da morte de Robert, chora pouco, ele já está tão longe. Até pensa que não terá de enfrentar seu olhar. Mas o que acontecerá se Hannah e Simon retornarem de seu exílio? Ela afirma a Maxime assim que chegam a Paris: saberá se apagar. É preciso dizer isso a ele, e é no que quer acreditar. Ele a escuta, silencioso, aperta-a em seus braços, eles se esforçam para expulsar qualquer pensamento de suas cabeças.

Depois da Libertação, as famílias ainda aguardam. Em Paris, espreita-se a chegada dos deportados, dia após dia escutam-se as notícias, consultam-se as listas penduradas no hall do hotel Lutétia. Passa-se de grupo em grupo brandindo as fotos, colocam-se perguntas, assiste-se à chegada dos ônibus descarregando na calçada sua provisão de fantasmas.

Maxime pega o metrô várias vezes até Sèvres-Babylone, e volta transtornado. Uma multidão desvairada invade as salas de recepção, coorte miserável contrastando com o luxo do local. Assombrações esmagam os tapetes espessos, erram entre os grandes sofás e os espelhos, vacilam e se penduram no bar, onde pouco tempo antes oficiais alemães erguiam suas taças à vitória. Cada rosto de criança, cada olho cavo, cada palidez faz Maxime estremecer. Sob as roupas em farrapos das mulheres, ele acredita, a cada vez, reconhecer a silhueta emagrecida de Hannah. Uma dor aguda o atravessa: a da esperança que se mistura ao medo. Um muro foi erguido, que abafa suas vozes, ele tem dificuldade em encontrar suas entonações, esqueceu o timbre claro do filho, os murmúrios da mulher. Procura em vão encontrar seus risos, suas expressões favoritas, seu perfume: ele começou a fazer o luto, Hannah e Simon não voltarão nunca.

Será preciso um tempo para que Tania e Maxime vislumbrem uma vida em comum. Meses para se desfazer dos móveis, encher as malas, reconhecer objetos ainda habitados, dobrar pertences ainda impregnados de odores familiares, criar lugares limpos. Maxime não poderá se decidir a dar os brinquedos do filho, e os colocará no quarto de despejo, no sexto andar do imóvel onde Tania e ele irão viver a partir de agora. É lá que descobrirei Simo, quando acompanhar minha mãe, anos antes que um verdadeiro cão, Echo, o pequeno vira-lata preto e branco recolhido nos limites do Marne, viesse compartilhar a nossa existência.

Irei nascer nesse bairro, morar nessa rua calma. Um dos cômodos do apartamento será transformado em sala de ginástica, onde Tania e Maxime continuarão o treinamento. Eles se casarão, trabalharão juntos na rua do Bourg-l'Abbé, se especializarão em artigos de esporte, a clientela será farta. Do outro lado do corredor, Louise abrirá novamente seu consultório de enfermeira. Eles irão ao estádio todos os fins de semana. Nas noites de domingo, participarão do jantar convencional na casa de Esther e Georges, com o restante da família. As feridas estarão menos vivas, só uma dor surda permanecerá escondida no fundo de cada um. Não se falará mais da guerra, não se pronunciará mais o nome dos desaparecidos. Pouco tempo depois do meu nascimento, Maxime provocará novas tensões ao modificar a ortografia do nosso nome. Grinberg será lavado desse "n" e desse "g", essas duas letras tornadas portadoras de morte.

V

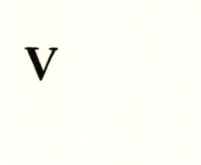

Louise me permitira reconstituir o idílio dos meus pais culpados. Eu tinha quinze anos, sabia o que tinham me escondido e por minha vez eu me calava, por amor. As revelações da minha amiga não tinham apenas me deixado mais forte, mas também tinham transformado as minhas noites: eu não brigava mais com o meu irmão, agora que conhecia seu nome.

Aos poucos, desligava-me de meus pais. Aceitava ver as fendas que tinham aparecido em suas perfeições. Via-os combater os primeiros estragos da idade, redobrando as energias na quadra de tênis aos domingos. Meu pai sofria disso mais do que a minha mãe, e eu às vezes surpreendia a ansiedade de seu olhar diante do espelho. Numa noite, ele voltara destruído: pela primeira vez uma jovem tinha lhe cedido seu lugar no metrô.

Minha aparência não me era mais um sofrimento, eu me valorizava, minhas concavidades se preenchiam. Graças a Louise, meu peito se alargara, o vazio sob meu plexo se atenuara, como se a verdade tivesse estado até então inscrita em concavidades. Eu agora sabia o que buscavam os olhos de meu pai quando fixavam o horizonte, entendia o que deixava a minha mãe muda. Por esse motivo, não sucumbia mais sob o peso desse silêncio, eu o carregava e ele valorizava meus ombros. Continuava meus estudos com êxito, enfim lia a estima nos olhos de meu pai. Desde que podia nomeá-los, os fantasmas tinham afrouxado sua opressão: eu iria me tornar um homem.

Alguns anos mais tarde, minha mãe perderia o uso da fala e do andar, como consequência de uma hemorragia cerebral. Eu veria fundirem seus músculos, teria de enfrentar a visão de uma mulher emagrecida, irreconhecível, balançando-se numa cadeira. Essa dor, meu pai sentiria ainda mais violentamente do que eu. Acostumado a lutar, iria encará-la num primeiro momento, ajudando minha mãe em sua reeducação Mas o espetáculo da sua campeã apoiada numa muleta, a perna direita rasgando o ar a cada passo, logo se tornaria insuportável, e, ferido mais cruelmente do que qualquer outra pessoa por essa visão, decidiria dar-lhe um fim.

Echo partilhava a nossa vida há alguns anos, passando seus dias na companhia do meu pai, dormindo à noite na minha cama. Substituíra Simo, cuja pelúcia encardida tinha se unido às lembranças empoeiradas do quarto de despejo: eu sabia que não poderia mais afrontar o brilho de seus olhinhos pretos, agora que conhecia a sua história. Como meu pai pôde ter suportado me ver apertá-lo contra o peito, instalá-lo ao meu lado durante todas as nossas refeições? E minha mãe, o que ela teria sentido ao ouvir novamente o nome daquele que eu tinha arrancado das sombras, cujo reaparecimento sem dúvida ela temera durante longo tempo?

Meu pai se enternecia quando apertava o cão preto e branco contra o peito. Levava Echo para passear no bosque, brincava com ele como uma criança, se largava aos domingos no gramado do estádio, rolava com ele sobre a grama.

Assim que meus compromissos me permitiam, ia à loja e logo que chegava atravessava o corredor para visitar Louise.

Nunca interrompemos nossas conversas. Ela continuava sabendo escutar, seus olhos nos meus, sua boca projetando seus espirais de fumaça, suas mãos caçando velhas dores.

Quando subira no quarto de despejo para devolver Simo à sua cama de cobertores, meus olhos deram com um álbum de fotografias, pouco visível sob a poeira, no meio de uma pilha de revistas. Contemplara Maxime e Hannah em traje de casamento, vira o fraque preto e o chapéu alto de meu pai, conhecera o rosto inquieto da sua jovem mulher, tão pálida quanto o seu véu, virando para o esposo esses olhos claros que iriam desbotar tão rapidamente. As páginas cartonadas estavam abertas em cenas de família, grupos de desconhecidos posando diante de casas ensolaradas, praias, canteiros de flores. Uma vida em preto e branco, sorrisos hoje apagados, mortos enlaçados pela cintura. Por fim, eu tinha visto Simon, cujas fotos enchiam várias páginas. Seu rosto me parecera estranhamente familiar. Reconheci-me nesses traços, mas não me encontrei nesse corpo. Deslizara no bolso uma das fotos do álbum que tinha descolado, atrás da qual uma data estava inscrita: ele estava de short e camiseta, em sentido diante de um campo de trigo, franzindo os olhos diante do sol do seu último verão.

Numa manhã, pouco antes do meu aniversário de dezoito anos, o telefone tocou. Depois de ter atendido, meu pai desligou, o olhar ausente, a mão ainda apoiada no receptor. Anunciou-nos a notícia com uma voz calma, depois se inclinou para acariciar Echo, que viera se deitar aos seus pés. Permaneceu arqueado durante um longo momento, a mão despenteando o pelo do cachorro, e então, endireitando-se por fim, foi vestir o sobretudo. Aceitou a minha companhia.

A vizinha que ajudava Joseph com suas compras e a faxina nos fez entrar. Sobre a mesa coberta com uma toalha de plástico, vi um prato vazio, um copo pela metade, um guardanapo amassado. Segui meu pai até o quarto onde iria ver meu primeiro morto. Meu avô repousava na cama, a cabeça jogada para trás, a tez pálida, a boca aberta. Meu pai contemplou-o, depois se virou para mim para me dizer que estava feliz por seu pai ter morrido durante o sono. A forma mais bela de se deixar esse mundo, acrescentou. Aproximei-me do rosto de Joseph, toquei sua bochecha com o dorso da minha mão, sua pele estava gelada. Que sonho o teria levado? Será que ele soube que estava morrendo?

Enterramos Joseph no Père-Lachaise. Dirigimo-nos para o terreno judeu, onde meu avô iria repousar ao lado da mulher. Descobri o túmulo de Caroline, a dois passos do apartamento de Joseph, a alguns minutos da avenida Gambetta. Mais uma pergunta que eu não fizera. Por ocasião de nossos passeios parisienses meu pai me levara com frequência para visitar os mortos mais célebres do Père-Lachaise, mas nunca tínhamos dado uma volta pelo terreno judeu. Por que teria ido se recolher diante da laje onde estava gravado o nome de sua mãe? Ele carregava seus mortos em si: aqueles que lhe tinham sido mais queridos não tinham sepultura, seus nomes não estavam inscritos em nenhum mármore. Muitas vezes, ao passar diante da construção do columbário, ele me falara da sua vontade de ser cremado. Só agora eu podia compreender o verdadeiro motivo da sua escolha.

Assim que chegou a casa meu pai apanhou Echo nos braços e se aproximou da janela. Abriu-a e caminhou para a varanda para permanecer por um longo tempo contemplando a rua, depois se fechou, como de hábito, na sala de ginástica.

No exame oral do *bac*,* sorteei um papel sobre o qual estava inscrito o tema a tratar, que se resumia num nome: Laval. Paralisado, eu gaguejara uma frase sobre a colaboração, uma única, que não agradara meu examinador. Persuadido de estar lidando com um saudoso de Vichy, ocultei-me num mutismo que me valeu repetir o último ano.

Quis ver um sinal nessa desventura: eu ainda batia contra um muro. Sobrava um vazio na minha narrativa, um capítulo cujo conteúdo meus pais também ignoravam. Eu conhecia um meio de descolar as páginas: descobrira a existência de um lugar em Paris onde poderia encontrar as informações que me faltavam.

No coração do Marais, o Memorial possuía um serviço de documentação, as pesquisas de Beate e Serge Klarsfeld haviam permitido um recenseamento completo de todas as

---

*Baccalauréat, exame de conclusão do ensino médio na França. (N. da T.)

vítimas do nazismo. Consultando os registros, era possível encontrar o nome de cada deportado, o número e a destinação do trem no qual partira, a data de sua chegada ao campo e, caso não tivesse sobrevivido, a data da sua morte. Passei uma tarde lá, a folhear um após o outro esses enormes volumes: no meio de milhares de outros, enfim descobri os nomes que procurava. Via-os por escrito pela primeira vez. E descobria o que tinha sido seu destino: Hannah e Simon, depois de terem transitado pelo campo de Pithiviers, foram expedidos para a Polônia, rumo a Auschwitz. Morreram nas câmaras de gás no dia seguinte à sua chegada.

O número do trem, a data da morte: fatos brutos, cifras. Os acontecimentos sobre os quais eu construíra minhas hipóteses ganhavam, com a leitura do registro, um extraordinário peso de realidade. Reli muitas vezes os nomes daqueles que tinham compartilhado com Hannah e Simon a terrível viagem, que tinham conhecido como eles a escuridão de um vagão selado, o horror da promiscuidade. Nomes de homens, mulheres e crianças cuja deportação o presidente Laval autorizara, em nome da união familiar.

Saber que eles tinham sido assassinados assim que chegaram ao campo me aliviou de um peso. Essa data colocava um ponto final em todas as minhas suposições. Eu não precisaria mais convocar as imagens de seus anos de deportação, seu calvário, suas noites.

O que eu acabava de descobrir, meu pai ignorava. O que teria imaginado da detenção de Hannah e de Simon durante todos esses anos? O que imaginaria ainda hoje, quando seu olhar se ausentava, quando não conseguia dormir? A reviravolta me perturbava: mantido durante tanto tempo distante desse drama, eu sabia hoje mais do que meu pai sobre o seu segredo. Será que deveria deixá-lo na ignorância? Fiquei muito tempo me perguntando sobre isso, aguardando uma ocasião que a vida saberia me dar.

No ano seguinte, fui aprovado no *bac* com menção e decidi me inscrever na faculdade. Minha descoberta da psicanálise nos cursos de filosofia fora decisiva. Mais tarde, quando me perguntassem qual tinha sido minha motivação para seguir tais estudos, eu saberia o que responder: Louise, que sabia escutar tão bem, havia me aberto as portas, me permitido dissipar os fantasmas, me restituído a minha história. Eu sabia o lugar que ocupava nela. Livre do fardo que pesava sobre as minhas costas, eu tinha feito uma força para isso, e faria o mesmo com aqueles que viessem até mim. Só não sabia que começaria com meu pai.

Uma noite, ao chegar da faculdade, encontrei minha mãe em lágrimas. Echo acabava de ser atropelado. Eles trouxeram o animalzinho para casa e o deixaram na sala de ginástica. Baixando a voz, minha mãe me disse que desde a sua volta meu pai não tinha saído do quarto, ela ignorava se ele dormia ou lia e não ousava incomodá-lo. Ele não quisera almoçar, não pronunciara uma palavra, sem dúvida se sentia responsável por essa morte: eles passeavam no bosque e meu pai não tinha achado útil segurá-lo pela coleira para atravessar uma das avenidas. Minha mãe acrescentou que nunca tinha visto Maxime tão desconcertado. Meu pai superara a desaparição do filho e da mulher, mas a morte de seu cão o fazia desmoronar.

Entrei na sala de ginástica, inclinei-me sobre Echo, deitado de lado, a fuça ensanguentada. Meu rosto se refletiu em seus olhos bem abertos. Propus a minha mãe levá-lo, eu mesmo, ao veterinário, que saberia o que fazer com seus restos. Soltei sua coleira com precaução, despenteei uma última vez seu pelo, envolvi-o na sua toalha.

Uma hora depois estava de volta. Entrei no quarto, meu pai estava sentado na beira da cama, a cabeça entre as mãos. Ele tinha fechado a cortina dupla, o quarto só estava iluminado pela lâmpada de cabeceira. Sentei-me ao seu lado e contei da minha tristeza. Sem levantar a cabeça, ele me respondeu com uma voz apagada. Disse-me que Echo tinha morrido por sua culpa. Ouvi-me dizer que era verdade, que ele era responsável por isso, mas apenas por isso. Essa frase me veio sem que eu a tivesse premeditado. Ele se ajeitou enquanto eu olhava para a janela, meu ombro contra o seu, seu olhar interrogador pesando sobre mim. Acrescentei ter orgulho do que herdara, orgulho de eles terem me transmitido essa dificuldade, essa questão sempre aberta que tinha me deixado mais forte. Orgulho do meu nome, a ponto de querer estabelecer sua ortografia original. Isso também me escapou, e meu pai suspirou, como se eu anulasse anos de esforço.

Depois de uma profunda inspiração, continuei. Pronunciei o nome de Hannah e o de Simon. Superando meu medo de feri-lo, falei de tudo o que tinha descoberto, sem ocultar o ato suicida de Hannah. Senti-o se retesar, fechar as mãos sobre os joelhos. Vi suas articulações embranquecerem, mas, decidido a continuar, dei-lhe o número do trem, a data da partida de sua mulher e de seu filho para Auschwitz, a da morte deles. Disse que eles não tinham conhecido o horror cotidiano do campo. Só o ódio dos perseguidores era responsável pela morte de Hannah e Simon. Sua dor de hoje, sua culpa de sempre não deviam permitir esse ódio exercer uma vez mais os seus efeitos. Não disse mais nada. Levantei-me, puxei a cortina, abri a porta e pedi a minha mãe para se juntar a nós. E repeti tudo, para que ela também soubesse.

Meu pai saiu do quarto para jantar conosco. No momento em que me retirava para deitar, ele me parou, com uma pressão leve de sua mão no meu ombro. Apertei-o nos braços, o que nunca tinha feito na vida. Seu corpo me pareceu frágil, o de um homem idoso que era agora mais baixo do que eu. Sentindo-me estranhamente forte, não derramei uma lágrima, a morte de nosso cão tinha sido o momento de uma nova reviravolta: eu acabava de livrar meu pai do seu segredo.

EPÍLOGO

Numa noite de verão, tive vontade de voltar ao pequeno bosque que cerca o castelo, bem perto da nossa casa. Pedi à minha filha para me acompanhar.

Rose e eu tínhamos subido a rua que leva à saída do vilarejo. Chegamos em frente à antiga grade e um pouco mais adiante penetramos no emaranhado de galhos e árvores derrubados pela tempestade para alcançar a parte de trás do castelo. Sediado no meio de seus fossos, flanqueado de quatro torres cobertas de ardósia, ele parecia adormecido atrás de suas janelas fechadas.

Antes, eu tinha atravessado os limites da propriedade na maior inocência e o acaso me levara para perto do pequeno cemitério. Quem repousava sob essas pedras? Temendo ser surpreendido, sobressaltava-me a cada estalido de ramo. A silhueta de um couteiro na esplanada do castelo me dissuadira de me aproximar ainda mais.

Mas naquele dia o caminho estava livre: podíamos transpor a árvore deitada que protege a entrada do canteiro e penetrar no recinto, de frente para o alinhamento dos túmulos.

Nesse meio-tempo eu me informara sobre o proprietário do castelo. Um senhor do vilarejo tinha me dado seu nome: o conde de Chambrun, descendente do marquês de Lafayette, advogado internacional. Esposo da filha de Laval, defensor fervoroso do sogro, autor de obras visando a reabilitar sua memória.

Eu sabia agora na casa de quem estávamos. Minha filha e eu nos aproximamos das estelas. Na primeira, conseguimos ler:

Bayre
1890
Pompée
1891
Madou
1908
Brutus
1909

Um cemitério de cães. Parecido com aqueles que cercam as velhas igrejas de nossos campos. Uma tradição instaurada pelos antigos donos do local e mantida pelos seguintes, a se julgar pelos túmulos mais recentes:

> Whisky
> 1948-1962
> Cão de Soko
> Amigo fiel do meu pai
> Josée de Chambrun

> Vasco
> 1972-1982
> Morrer foi a única dor
> que ele nos causou
> Josée de Chambrun

"Amigo fiel", "a única dor que ele nos causou", esses lugares-comuns me tocaram. Imediatamente revi Echo, abandonado na mesa de um consultório veterinário antes de se unir a uma montanha de restos destinados à cremação. Mas logo senti um mal-estar com a leitura dessas estelas, cujas datas tão próximas faziam pensar em túmulos de crianças: Josée de Chambrun, filha de Laval, enterrava ali seus animais queridos.

O nome ressurgia: o presidente Laval, que estimulara — a fim de não separar as famílias, pleiteava ele em sua defesa — a deportação das crianças de menos de dezesseis anos com seus pais. Eis o que eu teria respondido ao examinador no dia do *bac*, se ele não tivesse me petrificado. E teria mesmo acrescentado a frase odiosa de Brasillach: "Sobretudo não esqueça os pequenos."

Como esquecer os pequenos, fantasmas sem sepultura, fumaças planando sobre terras hostis? Permaneci imóvel, o olho fixo nas inscrições. Diante desse cemitério, conservado com amor pela filha daquele que oferecera a Simon uma passagem sem volta para o fim do mundo, surgiu-me a ideia deste livro. Em suas páginas, repousaria a ferida cujo luto eu nunca pude fazer.

Uma chamada da minha filha fez com que eu me sobressaltasse. Ela queria me mostrar uma peara isolada, com o cume talhado em semicírculo, escondida por ramagens. Uma sepultura mais modesta do que as outras:

<blockquote>
Dear Grigri
1934-1948
</blockquote>

Este tinha sido particularmente amado e lamentado. Talvez fosse a brevidade do epitáfio que o deixava mais emocionante. Mas por quem ele teria sido chorado? Ainda uma vez essas simples palavras me tocaram e pensei novamente em Echo, antes de me revoltar. O que iria fazer da minha cólera? Profanar esse lugar, cobrir essas estelas de inscrições injuriosas? Fiquei chateado, pois esses pensamentos não se pareciam comigo. Rose manifestava sinais de impaciência, propus-lhe que voltasse para encontrar a mãe, me deixar ali ainda alguns instantes. Ela aceitou e se distanciou, agitando a mão sem se voltar.

Sentei-me sobre o tronco, atrás de mim a árvore de uma torrezinha estirava sua sombra no pôr do sol até tocar os primeiros túmulos. Escutava-se apenas o roçar das folhas agitadas pela brisa, o grito agudo de uma graúna. Olhei minhas mãos pousadas sobre minhas coxas, os sulcos que aos poucos apareceram nelas, as bolhas. Elas me fizeram pensar nas do meu pai, tais como eu tinha conhecido em seus últimos anos. Enfim eu me parecia com ele.

Revi as mãos de Louise, esses dedos tão potentes que relaxavam meus pais, as de Esther, pássaro que esvoaçava em torno do rosto quando ela animava os jantares das noites de domingo. Por fim me lembrei da mão de minha mãe, os meses que se seguiram à sua crise, crispada sobre um rolo de espuma para evitar que suas unhas não se incrustassem em suas palmas. Minha mãe definitivamente silenciosa, deslocando-se da sala ao quarto, apoiada numa muleta. Revivi a angústia de meu pai diante desse espetáculo, procurando em vão reencontrar nessa silhueta o esplendor daquela que ele admirava quando se arremessava do pilar da ponte para suspender seu voo acima das águas do rio Creuse.

Diante dos túmulos alinhados no canteiro repensei o último gesto de meu pai. Tomando a mulher pela cintura, ele a ajudara a se levantar para conduzi-la eternamente para a varanda da sala, para um último mergulho. O que terá murmurado no seu ouvido antes de abraçá-la e pular com ela?

Louise e Esther, as duas únicas sobreviventes da família, me acompanharam ao Père-Lachaise. Nós três tínhamos velado o caixão da minha mãe, enquanto meu pai, conforme seu desejo, se unia a Hannah e Simon, coluna de fumaça preta escapando das chaminés do crematório. Juntos, tínhamos recolhido suas cinzas para depositá-las aos pés de minha mãe, no túmulo do terreno judeu. As duas mulheres tinham se retirado discretamente, para me deixar sozinho na beirada da fossa. Quando as vi se distanciarem na vereda bordada de árvores, curvadas, desamparadas como depois de terem atravessado a fronteira, apressara-me para ir ao seu encontro, e me deslizara entre elas, meu braços sob os seus, para conduzir minhas duas velhas amigas até o pórtico do cemitério.

Pouco tempo depois, eu estava de volta ao Memorial, tendo lido na imprensa que os Klarsfeld pensavam em publicar uma obra dedicada às crianças da França mortas em deportação. Eu depositara no serviço de documentação a foto de Simon conservada na gaveta da minha escrivaninha, acompanhada das informações solicitadas. Alguns meses mais tarde, recebia o grande livro preto, o terrível álbum repleto de sorrisos, de vestidos e trajes de domingo, penteados artificiais, no qual ele figurava, piscando os olhos sob o sol, diante da sua muralha de espigas de trigo.

Anos depois de meu irmão ter desertado meu quarto, depois de ter colocado na terra todos aqueles que me eram queridos, eu enfim oferecia a Simon a sepultura à qual ele nunca teve direito. Ele iria dormir, na companhia das crianças que tinham conhecido o mesmo destino que o seu, nessa página onde repousava a sua foto, suas datas tão próximas e seu nome, cuja ortografia diferia tão pouco da minha. Esse livro seria o seu túmulo.